JN002015

YUKOS

BEAUTY

ゆうこすビューティー
最近自分の見た目が
好きすぎるかも。になれる本

ゆうこす

KADOKAWA

monologue :

" 女の子は
努力とテクで
絶対キレイになれる！ "

たくさん失敗して、キレイを育てました

　私がYouTubeやSNSを始めて、インフルエンサーとして活動するようになってから5年が経ちます。その5年の間には、バズったり、起業したり、炎上したり、ブランドを作ったり、人前に出て講演するようになったり…と、たくさんの経験をしました。普通では考えられないくらいの22〜27歳だったと思います。

　そのどんな時でもベースにあったのは、「モテクリエイター」という肩書にもありますが、可愛くなること、自分らしく輝くことを、どれだけ私らしく伝えられるか、ということでした。たくさんのインフルエンサーの方がいる中で、「ゆうこすの動画が一番わかりやすい」「共感できる」「コメントがリアルで正直」そんな皆さんからの声を励みに、自分にしかできないことは何だろう、とずっと考えてきました。

　たとえば私は、発信は絶対に「前向き」にする、と決めています。キレイになる、可愛くなるために、テクニックを学ぶことはとても大切だけど、自分自身を好きでいられること、そして自信を持てることが、一番大切だと思うからです。そのマインドを伝えるためにも、どんなにどん

底の時も「前向きに生きるしかない」と思って発信しています。何かあってボロボロになったとしても、そこからどうやっていこうか考えなくちゃいけないし、とにかく前向きに生きていくしかないじゃないですか（笑）。

この本を作る時に一番に考えたのは、そういった私が経験してきたこと、感じたこと、考えたことも含めて届けたいなということでした。キレイになるテクニックはもちろん余すところなく伝えたい。そのうえで、自信の根本を支えてくれる部分を伝えることができたらいいなと。

昔の私はかなりダサかった

ぶっちゃけ、昔の私はかなりダサかったです（笑）。上京したての時は、ユニクロのインナーを普通に「洋服」として着て専門学校に通って、同級生に驚かれたこともあります。自分の見た目にも中身にも自信がなかったし、後ろ向きな部分がたくさんありました。極端なダイエットをしてメンタルがボロボロになった時期もあったし、美容を頑張りすぎてお肌が荒れる…なんて本末転倒な時期も。でも、そういう時期があったからこそ、今の自分があるんだと思います。

そう、無限に失敗してきたからこそ今がある。試行錯誤して少しずつ可愛くなることを積み重ねて、自信をつけてきた経験があるからこそ、「努力すれば絶対可愛くなれる！」と断言できます。今は自分の見た目も大好きだし、仕事にもプライドを持てているし、友達関係も恋愛も充実してると自信を持って言える！　そんな「今のゆうこす」を作ってくれたいろんなことを届けたいなと思ってこの本を作りました。SNSではここまでの長さのものってなかなか難しいので、本という形を選びました。

実際に制作してみて、本を作るというのは自分を見ることだなとしみじみ思いました。どうやったら可愛くなれる

テクニックをわかりやすく伝えられるか試行錯誤したり、改めて自分の気持ちをテキストに落とし込んでみると、曖昧なところがあったり、びっくりするほど変化していたところがあったり。

「モテ」の定義も変わった！

　私にとっての「モテ」の定義もここ数年でずいぶん変わりました。
　「モテるために生きてる」というのは、今も、これからも変わらぬ私のキャッチコピーですが、そのために大事な条件が3つ、できました。
1.自立していること
2.自分と相手の気持ちを大事にできること
3.常に何かを吸収して成長しようという心を持つこと
　この3つは、モテのための絶対条件！　この3つを意識するようになると、仕事も恋愛も人間関係も、どんどん楽しくなるんですよ。この楽しさをこの本を読んでくれた人とも共有して、一緒に成長していけたら嬉しいな。
　やっぱり私のような仕事はファンの皆さんあってのものだし、一冊の本を買ってくれたり、フォロワーさんが増えたりするというのは、すごくシンプルに感動します。お店に足を運んでくれた、ライブを観てくれた、私のことを知っててくれるというのがとても嬉しい。そうやって支えてくれる皆さんに「ゆうこすの今」と感謝の気持ちを伝えたいなと思って作ったのが、このスタイルブックです。
　「感謝の気持ち」を人に伝えるなら、2倍のエネルギーで、という話を聞いたことがあります。恩とか義理人情ってすごく大事で、そうやって"人ぶりっこ"でいると自分自身もハッピーになれるし、自分も周りもうまくいく。
　この本も、皆さんへの感謝を2倍、いえ、それ以上込めて作りました。読んでくれる人のお洒落に、仕事に、恋に、いいことが起きますように。そんな願いと感謝を込めて♡

contents :

monologue:
002

Chapter 1,
make-up

HOW TO:01
メイクが"映える"
うぶ肌ベースメイク
026

HOW TO:02
一重も二重も関係ない!
涙袋も作っちゃう骨格テク
028

HOW TO:03
ぼかしがうまければ勝ち!
秒でできる垢抜け顔
030

HOW TO:04
下から描く、眉頭を軽く。
眉が垢抜けるゆうこすテク
032

HOW TO:05
誰だっていまどき顔になれる、
「ひとさじマット」の魔法
034

HOW TO:06
さりげな美人カラーの
"いつもメイク"と"盛りメイク"
036

HOW TO:07
「服・髪・メイク」の順に
決めるのが
垢抜けるコツ
038

HOW TO:08
時間がなくても必ず!
美人ポイントは「髪」
040

HOW TO:09
まとめ髪は、忙しい
イマドキ女子のサポーター♥
042

HOW TO:10
寝坊した日も、カチューシャが
あれば洒落美人!
044

HOW TO:11
「目が死なない」が鍵。
1年365日、
カラコン街道爆進中
046

Yuko's way 01
メイク編
ゆうこすに聞いてみた!
048

Chapter 2,
skin-care

theory : 1
ゆうこすが
「メイクより、スキンケア！」な理由
050

theory : 2
スキンケアの柱は、
何はともあれオイル
052

theory : 3
忙しい毎日だから
「お手入れ3モード」が必要です！
054

theory : 4
シンプル4ステップ
"いつもモード"を徹底解説
056

theory : 5
ヤバいくらいに肌が上がる♥
「気合モード」コスメ
058

theory : 6
ナチュラルコスメオタクです
これが神8
060

theory : 7
「クレンジング9：洗顔1」が、
肌リセットの鉄則
062

theory : 8
肌を傷めない、摩擦レスの
お風呂クレンジング
064

theory : 9
敏感になった時こそマイルドな
ピーリングを組み込む
066

theory : 10
美容に時間をかけすぎない。
自分を追い込まない
068

theory : 11
頭皮ケアのすごさに
最近気づいてしまいました
070

theory : 12
お風呂上がりは
「タオルドライ→即オイル」で
潤い浸透！
072

theory : 13
ドライヤーの冷風モードで
うるっとツヤ髪に仕上げる
074

Yuko's way 02
スキンケア編
ゆうこすに聞いてみた！
076

Chapter 3,
Yuko's own way

Work
078

Age
080

Mental
082

Love
084

Complex
088

ゆうこす的推しマンガ10
090

ゆうこす的推しミュージック10
092

ゆうこす的推しサロン10
094

Yuko's way 03
ライフスタイル編 ゆうこすに聞いてみた!
096

Chapter 4,
fashion

RULE:01
まずは基礎練!
ベーシックを使いこなそう
098

ゆうこすベーシック
the♥7アイテム
100

RULE:02
小物で遊ぶ。靴とバッグは
パンチありが正解
102

RULE:03
主役を決めたら、
あとは頑張らない。抜け感が大切
104

RULE:04
透け感をうまく使えば、
清潔感もフェロモンも自在デス
106

RULE:05
異素材レイヤードは
"こなれ感"のモト♥
108

RULE:06
甘さを抑える天才、
ジャケットに頼っちゃう
110

ゆうこす的1週間コーデ
白Tと黒パンを着回せば、
お洒落がもっと楽しく
112

ゆうこす的1週間コーデ
カジュアルもきちんとも。
T.P.O.に合わせられる黒パンは
女子の味方!
114

RULE:07

揺れたり光ったり。ときめく
ビジューはファッションのスパイス
116

Yuko's way 04

ファッション編 ゆうこすに聞いてみた！
120

Chapter 5,
life style

life style °1

食事・睡眠・運動。地味だけど
これが結局ダイエットに効く
122

life style °2

バスタイムは30分！
分刻みの美容ルーティンを公開
124

life style °3

明日のワタシにエール！
ほぐし in バスタブ
126

life style °4

ご飯は美容投資。
簡単＆ヘルシーなゆうこすメシ
128

life style °5

コンビニも惣菜も活用！
ひと手間でヘルシーご飯に
130

life style °6

なんでもおいしくなる
優秀調味料とお道具
132

life style °7

さよなら、不眠症の私。
「眠ってキレイ」が今の基本！
134

life style °8

深睡眠のための
「あざといベッドルーム」テク教えます
136

life style °9

ホルモンのこと、病気のこと。
考えるのは当たり前！
138

epilogue:
140

Shop List
142

attention

コスメ、美容アイテムに入れているアイコンは編集部で
2021年7月末の税込価格を調査し、下記基準で入れて
おります。

プチプラアイコン▶2,000円未満（1,000円台まで）
お手頃アイコン▶4,000円未満（3,000円台まで）

本書で紹介しているものは著者私物をもとに構成して
おります。現在入手できないものもございます。
上記につきましてあらかじめご了承ください。

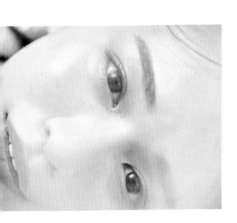

今 の 自 分 が 、め っ ち ゃ 好 き 。

顔 も 中 身 も 、頑 張 っ て る よ 〜

昔より、美容にかける時間は減りました。
でも、今の自分の見た目がめちゃめちゃ好きなんです。
自分のいいところを認めてコンプレックスと向き合えば、
こんなに自分を好きになれてハッピーになれますよ。

美味しいものは我慢しない主義！

大好きなかき氷屋さん「多りきほんがん堂」でパチリ。ご飯は基本的に1日3回、
甘いものもお酒も時々。好きなものは我慢せず、めいっぱい楽しむ主義！
我慢してダイエットしてリバウンドしてた頃より、いい感じです。

お料理もめっちゃ得意だよ ♥

あざとくカワイクありたい。

ボディケアで自分の体を好きになれた！

帰宅してから寝るまでのセルフケアと、週に2回のパーソナルトレーニング。
あざとい計算で作ったのが今のボディ。着こなしの幅も広がって、
お洒落がさらに楽しくなりました。もちろんメンタルだって上がる！
理想に向かってまだまだ頑張ります♡

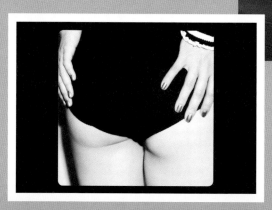

キレイになって "何するか" が大切だから

お 酒 落 も メ イ ク も 、 超 シ ョ ー ト カ ッ ト

ビューティもファッションも、
自己表現だと思ってる。
だから、かける時間は
必要最低限になりました。
メイクして、お酒落して、何をするか。
どこに行って誰と会い、
何を感じるかが一番大切だから。

最高の癒やし、
最愛の家族から元気をチャージ

我が家には、今「もち」と「きゅう」という、
とびきり可愛いふたりのワンコがいます。
帰宅すると迎えてくれて幸せ!
何も考えずに素に戻れる貴重な時間です。
パワーをくれて笑顔をくれる大切な家族に感謝♡

バブみもオトナも楽しんでる。

ファッションも自分らしく！

年齢を重ねてお洒落がうまくなったし、
幅も出てきたと思います。
可愛いはもちろん、クール、スタイリッシュ、
ちょいエロ、女らしい……など、
いろんなファッションを楽しみたい。
自分らしいお洒落がようやくわかってきた感じ。

〟格好いいオトナの
女になりたい〟

今でも、これからも可愛いはずっと大好き
だと思います。でも、年齢を重ねるにつれて
「格好いい」にも憧れるようになってきた。
T.P.O.に合わせて楽しめる女になりたい。
いろんなシーンがおおる中で、

〟年齢を重ねるのって
ワクワクする〟

その年齢に合った可愛さがあると思うから、
可愛いを見せられるのが、ワクワクしてる。
年齢を重ねるのは少しもイヤじゃない。
30歳、40歳、うりうすると、
男性にも女性にも、ますますモテて
可愛い存在でいたいなと思ってます。

〟頑張りすぎない
抜け感で女度アップ〟

いい女になりたい

これから10代の頃のような
これからも素肌が好きな私が
お酒や遊びのようなももの
透け感みたいなほぼ肌色や
ルーズにまとめた髪も、
ファッションもお気に入りのカットでも、
抜け感メイクのひとつ。
派手な色やスメスメのような、
楽しめるようになったし、
楽しみです！
経ても楽しむ

お洒落の幅も
もっと広がるはず！？

今にして思えば、昔のお洒落センスは
やっぱかったな。ユニクロのヒートテックをアウターとして
着たりしてましたから（笑）。そんな私でも
数年で垢抜けたって言えなくないですか？
お洒落はいつからでも学べるし、上手になるし、
どんどん幅が広がって楽しめるはず！

モテ To be continued…

Chapter 1,

make-up

簡単に垢抜けた！ 印象が変わる！とYouTube
でも大反響のゆうこすメイクのポイントを徹底
解説。トレンドを取り入れつつ大人の可愛さを
引き出す具体的なテクニックやコスメ選びのコ
ツをご紹介します。

HOW TO '01 メイクが"映える" うぶ肌ベースメイク

b お手頃
d お手頃
a
プチプラ
YOAN
BQ TREATMENT LOTION
PAUL & JOE
e
shu uemura
f
naturaglacé
c

「印象の決め手は、実はベース
"キレイな素肌"を目指す秘技」

私が初めてプロにメイクをしてもらったのは、アイドル時代の10代の頃。その時に「ベースの作り込みって大事なんだ!」と驚かされました。映えるポイントメイクのためにも、キレイな肌は絶対に欠かせない。だから私のメイクは、必ずコットンパックからスタートします。極薄でキレイな素肌っぽいベースこそ、メイク成功の鍵です。

ベースメイクのスタメンはこちら! a.厚手の大判サイズだから、パックにも使いやすいです。無印良品 生成カットコットン・大判タイプ(135枚入り)／無印良品銀座 b.独自の発酵エキス配合でしっとり。肌にすっと吸い込まれるので、コットンパック後すぐメイクできます。YOAN BQトリートメントローション／KYU c.ハイライトは普段使いには練りタイプがおすすめ。これはナチュラルに発光するような濡れ感があって白浮きしません。ミネラルラディアントスキンバーム／エトヴォス d.保湿感がしっかりして、パッと肌を明るくしてくれる下地。毛穴をカバーしつるん。プロテクティング ファンデーション プライマー 01(SPF50+ PA++++)／ポール & ジョー ボーテ e.絶対に今日は崩せないよね、という日に選ぶファンデ。よれません。アンリミテッド グロー フルイド(SPF18 PA+++)／シュウ ウエムラ f.石けんで落とせるふんわりパウダー。ナチュラグラッセ ルースパウダー 01(SPF40 PA+++)／ネイチャーズウェイ

この4つの仕込みで極薄ファンデでも美肌に！

コットンを5枚に裂いて全顔パック！

1. Facial mask

たった5分のコットンパックでハイライトにもまさる自然のツヤが出る。「ローションを含ませたコットンを5枚に裂いて、おでこ、両ほおに貼って、残った2枚をさらに半分にして鼻、あご、こめかみに。これで完璧！」

オレンジとグリーンの2色でくすみオフ

2. Color control

dの下地を塗ったあと、目の下のクマはオレンジで、ほおと小鼻の赤みはグリーンでカバー。これでファンデはごく少量でもOKに。「ファンデは指で顔の中央から外へさっとなじませる程度でOK」

（左）中央のオレンジを使用。ミネラルコンシーラーパレット／エトヴォス（右）カラーチューナー GR／m.m.m

ハイライトは広げすぎない

3. Highlighter

練りタイプのハイライトなら広がりすぎずに入れられます。目頭、Cゾーン、眉上、鼻先、あご先、上唇の山にcをのせて指でトントンなじませると立体感が一気にアップ！「くすみがカバーされて目が澄んだ印象も作れます」

さらに陰影を強調したい時は、鼻筋などにシェーディングをプラスすることも。リリミュウシアーマットシェーディング／コージー本舗

パウダーでベースをFIX！

4. Face powder

「フェイスパウダーは、付属のパフは使わず、ブラシで極薄にふんわりのせます」fをブラシに取ったあと余分なパウダーを落とし、ほおや鼻筋、額、あごに。フェイスラインにはほとんどのせません。ベースメイクが密着し崩れにくく。

アイカラーは指のせでナチュラルに

光と影の効果で、涙袋を作る！

1. Eye shadow

お手頃

アイカラーは練りタイプを指の
せ。一度手の甲に取るとベタっと
つかずにキレイにぼかせる。「下ま
つ毛の際にも、小指の先でスーッ
と細く同じ色をぼかします。囲み
ラインほど強い印象にはならずに
目の存在感をアップできます」

繊細なパール入りで、
目元に洒落感が出る
メープルカラー。保湿
力も高くてお気に入り。
インフィニトリー カラー
18／セルヴォーク

2. Concealer

お手頃

涙袋を作る。「まずは光。肌より
明るめのコンシーラーを小指で目
の下の際部分に3点置きして、ト
ントンとなじませます」これだけ
でもクマやくすみの暗さが一掃さ
れて、目の下がぷっくり膨らんで
見えて可愛い印象に。

のびがよくて使いやす
いコンシーラー。明る
い色は、自然な印象の
ハイライトとしても使え
ます。&be ファンシー
ラー／Clue

アイブロウパウダーで影を演出

アイラインはブラウンで「目尻から描く」

3. Eye bags

プチプラ

涙袋のぷっくり感を強調する影を
入れる。アイブロウパウダーの左
はじの色をブラシに取り、2のコ
ンシーラーの下にスッと線を引
く。「これはくっきりとした線で
OK。指でトントンとぼかせば涙
袋がぐっと立体的になります」

こなれた3色入りで眉
が垢抜けます。今っぽ
いピンク系の色出しも
素敵。フーミー アイブ
ロウパウダー N ブライ
トブラウン／Nuzzle

4. Eye liner

プチプラ　プチプラ

a　　　　b

アイラインは粘膜に入れるとにじ
みやすいのでNG。まつ毛の間を
埋めるように入れる。「目尻から
少しずつ描いて、黒目の横でス
トップ。キツくなるので目頭まで
は入れません」テーブルがあれば
鏡を下に置いて引くとやりやすい。

a.デジャヴュ ラスティ
ンファインE クリーム
ペンシル ダークブラウ
ン／イミュ　b.キャン
メイク クリーミータッ
チライナー 02／井田
ラボラトリーズ

Eye make-up

簡単に目が大きく見える光と影の
骨格メイクと映えな "涙袋盛りテク"

目元メイクは、囲みメイクもグラデも古臭くなるので要注意。
アイシャドウはブラウン1色で骨格に沿って入れるだけで簡単に
目が大きく見えます。目の際を濃く、アイホールをぼかすように
入れれば、一重も二重も関係なく、骨格に沿った陰影を入れら
れます。YouTubeでめちゃめちゃ反響があったのが "ぷっくり涙
袋を作る" テクニック。こちらも光と影の効果を生かしたメイク。
本当に涙袋が出現するので、ぜひ試してみて♡

HOW TO, 02

一重も二重も関係ない！
涙袋も作っちゃう骨格テク

ワンピース／ミークチュール
イヤリング／TEN.（本人私物）

HOW TO, 03

ぼかしがうまければ勝ち！秒でできる垢抜け顔

指ぼかしで抜け感ある目元に

1. Eye

「ぼかしがうまいだけでこなれ感が出てくるのでぼかしテクは大切！」アイカラーを指に取り、①目の際に横に色を入れる ②上下に色をぼかす ③何も塗ってない指でぐるりとアイホールの骨格に沿ってぼかす。これだけで、簡単に目元の骨格になじみます。色より質感で選ぶほうがこなしやすい。ほんのりパールを含んだ練り系のアイカラーなら、指でグラデも自在。

お手頃

繊細なブラウン。植物オイルでしっとり。石けんオフできます。ナチュラグラッセ タッチオンカラーズ 04P／ネイチャーズウェイ

2. Cheek

丸く可愛いチークもいいけれど、垢抜け顔を目指すならフェイスラインに向かってぼかし込み、横長の楕円にするのがおすすめ。「笑顔になった時、一番高くなるほお骨から真横へぼかし込むと、大人可愛いチークが完成♡」

お手頃

赤みを抑えたベージュ・ピンクだから、洗練されたほおに。ぼかしやすいなめらか質感。パウダー ブラッシュ 06／スナイデル ビューティ

「笑顔で横へ」がチークの正解

3. Lip

リップの輪郭がくっきりしていると、昔っぽい印象に。ティントは普通に塗るとつきすぎるので、3点置きで指でトントン輪郭をぼかす。「ブラウンなど難度の高いお洒落カラーも、このテクで失敗知らずです」

プチプラ

普段使いしやすいブラウン。ティッシュオフするとマットな質感も楽しめます。ロムアンド ジューシーラスティングティント 08／COSME Re:MAKE

ティントは「点置き」でぼかしこむ

点置きしてぼかすだけ

Make-up that goes through

シャツ／ガールズソサエティ
イヤカフ／イー・エム

忙しい女子の味方 ♡ マルチコスメで1トーンメイク

忙しい日の朝は、あえてリップもチークも1本でいけるマルチコスメを指で
ぼかしてワントーンメイクにすると、簡単に今っぽさがでます。お気に入り
のマルチコスメはこちら！
a.ココナッツやホホバのオイルを贅沢に配合してしっとり！ 内側から血色がに
じむようなシアーなブラウンローズがキレイ。rms beauty リップチーク スペル
／アルファネット　b.ぽんぽんなじませるだけでキレイにぼかせる。スタイリッ

シュなココアブラウン。ヴィセ リシェ　リップ&チーククリームN BE-5／コー
セー　c.目元にもほおにも、唇にも使える万能スティック。ダークトーンな
ピーチカラーはほどよい甘さです。RMK マルチクレヨン 02／RMK Division
d.こちらはアイシャドウとハイライトのマルチコスメ。美容クリーム生まれで
キラキラ感がほどよくて、日常メイクに使いやすい上品カラーです。ミネラル
アイバーム シャンパンアイボリー／エトヴォス

— 031

眉メイクは難しそうと苦手意識を持っている
人も多いけれど、全体の印象の決め手となるの
が眉！ ポイントは眉の「下」のラインから描き
出すこと。このちょっとしたコツで失敗しなくな
ります。そして眉頭は軽く仕上げると、今っぽい
抜け感のある眉になれます。私は眉が濃いので、
2か月に1回くらいサロンでなだらかな平行な形
に整えてもらっています。自分で整える時はうぶ
毛まで整えると不自然になるので、切りすぎない、
抜きすぎないように！

服やポイントメイクとの色バランスまで注意す
れば、かなりの上級者！

> 一番時間がかかって
> めんどくさいけど
> 一番印象が変わるのが眉！

眉頭は
あけておく

HOW TO, 04

下から描く、眉頭を軽く。眉が垢抜けるゆうこすテク

「下のラインから描く」だけで美人度UP

1. Eyebrow powder

「まず眉の下のラインをすっとストレートに描きます」眉と目の距離を近づけて彫りの深い美人に。そのあと下側から上へ、細かく筆を動かしながら全体を描く。眉頭が濃いとわざとらしくなるので、1センチあけて描き始めて。

黄みがかったブラウン、ピンクみがかったブラウン、濃いブラウンの3色が、万人に使いやすいバランス！フーミー アイブロウパウダー N ブライトブラウン／Nuzzle

プチプラ

眉頭を逆に
ナデナデ

眉頭は残ったパウダーをぼかす程度で

2. Eyebrow brush

ブラシにかすかについている残りのパウダーで、眉頭を描く。この時、眉山方向から眉頭へ毛流れに逆らうようにブラシを動かすこと。さらにスクリューブラシで全体を毛流れに沿ってとかし、眉頭だけは逆方向にとかし整える。

眉マスカラで「毛を立たせる」

3. Eyebrow mascara

眉マスカラはアイブロウと同じトーンで。全体を軽くとかし、眉頭は下から上へ、毛を立たせる。「日本人は毛が寝てのっぺりしがちなので、眉頭の毛が立ち上がると凛とした印象に」全体のバランスを見て、アイメイクに使ったシャドウを眉にふんわりかけるのも◎。

お手頃

a.ヴィセ リシェ インスタント アイブロウ カラー BR-4／コーセー b.アドバンスド アイデンティティ アイブラウマスカラ 05／THREE

プチプラ

HOW TO ,05

誰 だって いまどき顔になれる、「ひとさじマット」の魔法

イヤリング／bae bae（本人私物）
ベスト／ザ ヴァージニア（スタイリスト私物）

全顔ツヤっぽはNG！
モードに転ぶマットを差し込んで

ヘルシーなツヤっぽ肌のトレンドはまだ続きそうですが、そこにキラキラのアイカラー、ぷるんとシャイニーなリップを合わせるとフレッシュすぎ。マットな質感を差し込みます。とはいえ、すべてをマットにすると老けて見えるので、目元やチーク、リップのどこか1〜2か所にマットを差し込むと、今っぽい抜け感が生まれます。

Magic make-up

プチプラ

プチプラ

プチプラ

プチプラ

マット感をプラスする時愛用しているのがこちら。「韓国
のマットものは優秀！　柔らかく発色してぼかしやすいの
でヘビロテ中です」　a.マットもシャイニーも入っていてお
値打ちなパレット。ロムアンド　ベターザンアイズ 01／
COSME Re:MAKE　b.使いやすいマットチーク。テカリ
や崩れと無縁。黄みが強めで、肌にもなじみやすくて、簡
単に今っぽくなる絶妙カラー。LAKA ジャストチーク 01／
I-ne　c.d.柔らかなテクスチャーでぼかしも簡単。マット

なのに、なじみよくソフトに色づく点も見事。3CE ベル
ベットリップティント (c)しっかり濃い色なのにソフトに
色づいて使いやすい #SPEAK UP、(d)マットだからピンク
も甘すぎないモードな発色 #NEAR AND DEAR／共にス
タイルナンダ 原宿店　e.凛とした印象になるマットブラウ
ンのリップは、1つ持っておくと便利。粉っぽくない潤い
のあるテクスチャーで数々のベスコスも受賞した人気リッ
プ。バイブラント リッチ リップスティック 09／SUQQU

HOW TO, 06

さりげな美人カラーの

いつもメイク

仕事がある日のメイクは、ぱぱっと5分程度で済ませます。そんな時に役立つのが、（たとえ適当に塗っても）さりげなく奥行きを出してくれるニュアンスを持ったアイテム。ナチュラルなトーンが流行っているのであまり強い色は使わず、肌に溶け込むものを選ぶと、「気合入ってないのになんか可愛い」雰囲気が醸し出せます。

a

プチプラ

b

プチプラ

c

プチプラ

d

e プチプラ

f お手頃

どれもさっとなじませるだけで、ちゃんとニュアンスが出る優秀アイテムです。a.ヘルシーなオレンジブラウン。ザ パブリック オーガニック スーパーフェミニン カラーリップスティック ノーブルオレンジ／カラーズ b.練り・マット・ラメのすべてが入っていて、こなれ印象が出せるお気に入りアイシャドウ。右上を上下まぶたにさらりとなじませてから左上を重ね、左下のマットをライナー的に入れてぼかす。右下を目を閉じた時に上まぶたの黒目の位置にぽんと入れるとお洒落！ ディメンショナルビジョンアイパレット 03／THREE c.d.まつ毛がキレイにさばけ、長さが出るラッシュニスタはずっと愛用！ ラッシュニスタ N 01・02／共にメイベリン ニューヨーク e.薄づきで使いやすくて、めっちゃおすすめのティント。万人受けする珊瑚ピンクはほかのリップを使う前のベースリップとしても使える。Fujiko ニュアンスラップティント 01／かならぼ f.3つの質感で目元に陰影をプラス。ほんのりピンクを帯びた温かみのあるカラーは、装いを選ばず使えて便利。ナチュラグラッセ アイパレット 02／ネイチャーズウェイ

"いつもメイク"と"盛りメイク"

盛りメイク

デートの時、夜のお出かけがある時など盛り感を出したい時は、少し遊びを取り入れるように。といってもあまり奇をてらう色は使わず、いつものメイクの延長で、ちょっと丁寧にハイライトを入れたり、キラキラ要素を増やすのが基本。遊びメイクでも頑張りすぎず、抜け感を持たせるのは絶対！ 親近感を意識すると、バランスのいい遊びメイクに。

お手頃

プチプラ

お手頃

g.スキンケア感覚で使えて、潤うのにツヤが出すぎないバランスがお気に入り。デイリーにも使うけれど、長時間出かける日も肌に負担がかからず、石けんでするりと落とせるので盛りメイクでも活用。ミネラルグロウスキンクッション（SPF32 PA+++）／エトヴォス　h.肌に透明感を与えつつ、くすみや小じわを飛ばすハイライター。明るいベージュなので肌から浮かず、気になるところをカバーするのにも、立体感を出すのにも活躍。&be グロウハイライター／Clue　i.肌がイエローベースなので、色で遊びたい時はなじみやすいオレンジ系をプラス。温みや女性らしさ、それにトレンド感がにじむマットはデートにも使用率高め。ザ アイシャドウ マット 012M Cashmere／アディクション ビューティ　j.色づいた秋の葉を思わせる、コクのあるブリックカラー。唇の中央はたっぷり、輪郭はぼかしてじゅわっと色をにじませるとモード感が出ます。ロムアンド ジューシーラスティングティント EAT DOTORI／COSME Re:MAKE

HOW TO '07 「服・髪・メイク」の順に 決めるのが垢抜けるコツ

「メイクは最後に。鏡を引いて見る。これだけでバランスがとれる」

私はメイクが大好きだし、コスメを探すのも、新しいものを試すのも本当にワクワクします。

でも、私の朝のルーティンではメイクは後回し。まず服を決めて、髪を整えて、最後がメイクなんです。洋服とのバランスを見てヘアスタイルを決める。全身の色使いを見てから、ポイントメイクの色を考える。そのほうが全身トータルでお洒落になれます。

メイク命だった時代は、その日に会う相手や出かけるシーンを考える必要もないから、いつも"自分がしたいメイク"が最優先でした。でも、その頃の写真を見ると、ファッションと顔のバランスがめちゃくちゃなんです。

そこで20代になった私が決めたのが、お洒落を「服、髪、メイク」という順番で考えるということ。まず、その日の仕事内容や行く場所、会う相手のことを考えて服を決めます。着てみたら、「モノトーンだからメイクには色みが欲しいな」とか「ざっくりニットに合わせるから、メイクもマット系で合わせよう」といったメイクの方向性が見えてきます。この時に考えるのは、リップやシャドウの色みだけ。ベースメイクや眉、アイライナーなどは「いつも頼っている定番」でさっと済ませます。

そして最後に鏡を引いて、全身でバランスをチェック。この順番だと修正が簡単に利くのもいいところ。バランスを見てちょっとリップの色を替えたり、「巻きがイマイチだからポニーテールにしちゃおう」と、臨機応変に変えられます。大事なのは全身のバランス！

お洒落上手になれる、順番マジック、ぜひ活用してみてください。

シャツのオレンジとリップの色
がリンクして、全身トータルで
見た時お洒落な印象に。大ぶり
アクセサリーを楽しみたいから
髪をまとめて…と、服からヘア
メイクのイメージを膨らませる
と垢抜けた印象に。
シャツ、ワンピース／エモダ
イヤリング／ゴールディ

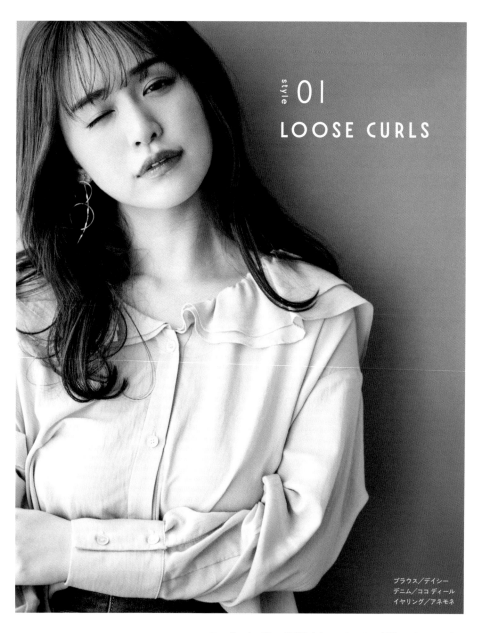

style 01
LOOSE CURLS

ブラウス／デイシー
デニム／ココ ディール
イヤリング／アネモネ

┌
　5分でできる
　適当だから可愛い
　ざっくりゆる巻き
　　　　　　　　┘

ヘアがぼさぼさだとお洒落も台無し。どんなに時間がなくても、ぼさヘアでは出かけません。地毛が超ストレートなので、ふんわりヘアに憧れがあって、ゆる巻きが基本。YouTubeでは丁寧に解説しているので時間がかかっているけれど、リアルでは5分以下で巻いてます♡毛先やトップをさっと巻くだけ。全体をきっちり巻くより簡単だし、華やかになるし、巻けていない部分があっても気になりません（笑）。ざっくりしたゆる巻きのほうが、今っぽい抜け感が出せます！

1.
"巻く"より"空気を入れる"イメージで

この時は毛先だけ!

全体をブラッシングしたら、5〜6つに毛束を分けて、毛先をワンカール。適当にバラバラの方向でカールさせる。ニュアンスが出ればOKなので、キレイに巻かなくてもノープロブレム!

2.
顔まわりの毛は華やぎポイント

顔まわりの毛束の上のほうに、外巻きのカールをつける。ハチの部分がふんわりすると可愛い印象に。また、耳の横の髪に動きをもたせるとぱっと見が華やぐので、ゆる巻きの時もこの部分は忘れずに。「ヘアカットの時に、この巻きを計算してもらっています。顔まわりにあご下くらいの長さの毛を作ってもらうのがお約束」

HOW TO '08
時間がなくても必ず!
美人ポイントは「髪」

3.
トップのふんわりは若さの証

トップも忘れずに!

トップの毛がぺたんとつぶれていると、老けて見えてしまいます。コテで軽く挟み、髪の根元を立ち上がらせるのがポイント。丸みを帯びたトップから揺れるような動きがついた髪は、モテの王道。分け目に沿って左右2か所ずつつくらいでよいので膨らみをつけると、ぐっと垢抜けたスタイルに。

4.
前髪は3つのパート分け

前髪もごく軽い内巻きにするとお洒落感がアップ。この時「前髪を全部まとめて巻かず、中央部分と両サイドの3つに分けるのが大切! まとめて巻くとアイドルっぽい、抜け感のない前髪になります」。3つのパートに分けてもせいぜい15秒。前髪が適度にさばけることで生まれる垢抜け感、ぜひ取り入れてみて。

style

02
UPDO

レーストップス／エモダ
イヤリング／アネモネ

イマドキ女子のサポーター♥

「 "抜き" の１つ結び 」

難しいアレンジをしたくない日は、１つ結びが便利！ ぴたっと留めると抜け感が出ないので、ほぐして "ゆるさ" を出すのがポイント。それにワックスの濡れ感があれば、瞬時にイイ感じのまとめ髪に。手抜きに見えない、洒落感ある１つ結びはぜひマスターして。

1. 毛先と耳の横を、1分でゆる巻き

ワックス（P.45）を髪全体にたっぷりなじませる。アイロンで毛先と耳横のひとすじの髪に軽く動きをつける。時間があれば全体を巻くのがベターだけれど、これならものの１分でできる。ちょっと動きを出すだけでまとめ髪もぐっとこなれた印象に。髪を後ろでまとめ、耳横の毛を引き出す。

Point

2. 結び目を下ろしてゆるさを演出

片手で髪全体を押さえ、逆の手で結び目を１センチほど下ろす。きゅっと結ぶと実用的な感じになるけれど、結び目を下ろしてゆるさを出すと、とたんにこなれた印象に。シンプルなアレンジほど、ワックスの量は多めにするのもポイント。前髪も指で軽くほぐせば、１つ結びもお洒落なアレンジに。

Point

結び目を
ちょっと下ろす

HOW TO, '09

まとめ髪は、忙しい

スウェット／ラコステ
イヤリング／ゴールディ

「 おしゃな大人
ポニーテール 」

ヘアメイクさんがやっているのを真似るうちに、こなれポニーテールがうまくなりました。「最初にスプレーをたっぷり使って髪をまとまりやすくしておくと、束感が出てさっと結ぶだけでいい感じのこなれ感が出せます。トップを引き出す時も、決まりやすい！」

1. "熊手" でがっとつかむのがコツ！

ヘアスプレー（P.45）を髪全体につけてまとまりやすい質感にする。手を熊手のようにしてトップの髪をざっくり取ってからまとめると、束感が出てお洒落に。あご先と耳を結んだ延長線上に髪を集めたら1つ結びにする。きっちりまとめると古く見えるので、ざっくり、適当に、がコツ。

Point

2. 毛束を引き出してラフな印象に

結び目を押さえながら、頭頂部の髪をつまんで少し引き出す。ぴっちりまとめずラフな束感をもたせると、カジュアルなポニーテールがスタイリッシュに。時間があれば、最初に全体をゆるく巻いてから作ると、さらにお洒落に仕上がる。スプレーがない場合は、ワックスをたっぷり使ってもOK。

Point

つまんで
引っ張り出す！

style **04 HEAD BAND**

カチューシャ／SNIDEL〔本人私物〕
オールインワン／エモダ
ネックレス／ゴールディ

HOW TO, 10

寝坊した日も、カチューシャがあれば洒落美人！

1. 顔まわりのニュアンス命！

髪全体に、多めのヘアバームかクリームをなじませる。顔まわりの毛には特にたっぷりつけること。カチューシャをつけてから、顔まわりの毛を少し引き出す。「前髪をあえて左右に割るほうが動きが出す。寝癖で前髪が割れている時のお助けアレンジにも」時間に余裕があれば毛先は外巻きに。

Point

2. もみあげのひとすじが可愛さの要♡

前髪に毛束感をもたせたら、仕上げに耳横の毛もひとすじ引き出す。この部分の毛に動きがあるとアクセサリーのように顔に華やぎを出してくれます。ストレートすぎる場合は軽く巻くのもおすすめ。全体をキレイにブローしなくても、寝癖を動きにアレンジできるので便利♡

ひとすじの毛が、
映えるコツ！

Point

044

Head band

瞬間技なカチューシャ

　時間がない日や寝坊した朝にヘアを整える時、魔法のように役立ってくれるカチューシャ。「究極、巻かなくてもそれなりに見せてくれます。ただしオールバックになると雰囲気ゼロだし、前髪をしっかり作ると10代のアイドルっぽい。前髪にちょっぴり動きをもたせると、大人にぴったりのお洒落ヘアに」

a.ギャザーが入ってボリュームが出る点がお気に入り。SNIDELで見つけたもの。b.シンプルな黒のカチューシャはFUMIE TANAKA。c.H BEAUTY & YOUTHで見つけたベージュのカチューシャも装いを選ばず使えてヘビロテ。（すべて本人私物）

オイルやバームまで、ゆうこすヘアを支える頼もしい相棒たち

d.浸透力抜群のアルガンオイルを配合。ドライヤー前の保湿にも、朝のスタイリングにも活躍。モロッカンオイル トリートメント／モロッカンオイル ジャパン　e.ワックスの束感がありつつ、ツヤっとまとまる万能バーム。手についた残りは肌の保湿にも使える安心さです。ラーレ オーガニックバーム／Cure　f.つぶれがちな猫っ毛にふわんとした立体感をもたせつつ、いい感じの濡れ感もプラスしてくれます。エアリー ＆ イージーグロッシーヘアワックス／コスメテックスローランド　g.抜群のキープ力で、カールもまとめ髪も1日美しく。コスメの香りを邪魔しない無香料がお気に入り。ケープ FOR ACTIVE 無香料／花王

`うるるん
透明感！

HOW
TO
, 11

「目 が 死 な な い」が 鍵。

1 年 3 6 5 日、

カ ラ コ ン 街 道 爆 進 中

ノーメイクの日もカラコンは必ず。
自信というギフトをくれるから♡

初めてカラコンをつけたのは、高校1年の時。それからずっと使っているので、今年で12年目になります。昔はすごく派手な、ギャルがつけるものをつけていましたが（笑）、今はすごく自然なものが増えたので大人の女性も使いやすくなったなと思います。

カラコンはもはや毎日のメイクの一部ですが、つけるだけで一気に印象が変わりますよね。入れるだけで自分への自信がプラスされる感じがすごく気に入ってます。私はファッションに合わせて替えたりもしていますが、最近は2週間〜1か月使えるものもあるので、ぜひトライしてみてほしいな。こんなに盛れて楽しいアイテムは、ほかにはないと思います。

そんなカラコン大好きな私なので、プロデュースもさせていただいています。ナチュラルに目の印象をアップさせるためにすごくこだ

わって開発しました。もちろんプライベートでもめちゃめちゃ愛用しています。

カラコンを選ぶ基準は透け感があるかどうか。昔のカラコンはマットでいかにも"入れてます！"という感じだったけれど、今は透け感をもたせるのが主流。光が入ると目が死なないし、表情が死なない。透け感があるデザインのものを選べば、うるっと、トゥルンとした瞳になるんです。まるでリングライトが当たっているみたい！ 仕事ではもちろん、お休みの日にも必ずつけています。

目は取り替えがきかない大切なパーツだから、装着液を必ずつける、疲れたら目頭のツボを押すなどちょっとしたケアも取り入れています。目が疲れてしょぼついた時は、美容鍼に行くことも（麻布ハリーク https://harieq.com/cns/）。疲れが取れると目がぱっちり開きますよ。

プチプラ
b
a
c
プチプラ

a.コンタクトレンズが目に貼り付くのを防ぎ、クッション的な役割を果たしてくれる装着液。カラコンを入れる時に必ず使っていて、日中も目の乾きやゴロゴロを感じたら使うように。ロートCキューブ®プレミアムフィット（第3類医薬品）／ロート製薬　b.c."最強モテカラコン"としてゆうこすがプロデュース。デイリーでよく使うのは超ナチュラルでピュア感があるベイビーブラウン。甘く見せたい日はピーチブラウン、モードなお洒落の日は抜け感が出せるハニーベージュなど、気分で使い分け。Chu's me 1 day（10枚入り）／T-Garden

Yuko's way01

メイク編

ゆうこすに 聞いてみた！

Q.すっぴんで過ごす日もあるの?

....

A.もちろん！ よくありますよ。会社でミーティングだけの日などは、肌を休めるためにもすっぴんで出社します。「メイクは必ずするのがマナー」みたいな決めごとはないと思っているので。誰かに会う、出かける場合はちょっとはメイクしようと思っていますが、休日などはよくすっぴんで過ごしてます。そういう日は、下地兼日焼け止めを塗るだけ。アクセーヌのスーパーサンシールドなど、肌補整効果のあるものをよく使います。

Q.YouTubeに登場する時は、セルフメイクなの?

....

A.はい。全部セルフメイクです！

Q.ゆうこす的「メイクの黒歴史」を教えて

....

A.ギャル時代 当時の写真を今見返すと、我ながらすごいなと思うのがギャル時代。中学3年生くらいがピークで、めっちゃギャルやってました（笑）。カラコンもすごく大きくてわざとらしくて、つけまつ毛も3枚くらいつけていた。ラメをキラキラさせて、眉毛はほぼ全剃り状態でした。思いつく限りのメイクを全部、フルパワーでやってたんですよ（笑）。

Q.一番リピートしたメイクアイテムって?

....

A.ラーレのヘアバームとチューズミーのカラコン

Q.初めて自分で買ったコスメ、いつ&なんだったか覚えてる?

....

A.中1の時。ブラックのアイライナー 覚えてます！ ギャルがブームだった中学1年生の頃、ブラックのアイライナーを買いました。資生堂のプチプラ系ブランドだったかな。目をパンダのように囲んで、親にぎょっとされました。今では考えられないメイクです（笑）。しかもその落とし方を知らなくて、夜になって「そうだ、クレンジングというものをしなくちゃ」と親のメイクアップリムーバーをこっそり借りました。落とし方を知らなくて、リムーバーが目に沁みた記憶があります。

Q.絶対持ち歩くメイク道具は何?

....

A.クッションファンデーション、カラーリップ、リップクリーム！

Chapter 2,

skin-care

今でこそ肌を褒められるようになったけれど、
昔は過敏だったりニキビに悩まされたりと、肌
トラブルもしょっちゅう。いろんなケアを試し、
お手入れを工夫するうちに「やりすぎ」も「や
らなすぎ」もよくないと学びました。忙しい毎
日でも実践できる美肌ケアを紹介します。

theory:1

ゆうこすが「メイクより、スキンケア！」な理由

絶対、"スキンケアファースト"！
ベースのキレイが大切です

先日、ある撮影でヘアメイクさんから「肌がキレイだからファンデはほとんど塗らなくてよいね！」と言われました。この言葉、本当に嬉しかった！

実は、私がメイクよりも大切にしているのがスキンケアです。なぜって、ベースの肌にトラブルがあると、メイクの時間がネガティブになってしまうから。たとえばニキビができたら、コンシーラーを塗って、ファンデーションを重ねて…と、メイクが「隠す」「修正」の時間になってしまう。「修正」の作業はできるだけ少なくしたいから、スキンケアを頑張っています。

隠したい悩みが多い時は、ファンデを厚塗りしていましたが、肌の透明感はなくなるし、メイクも崩れやすくなっていました。それに、修正するには時間も手間もかかってメイク時間がどんどん長く…。

素の肌がみずみずしく潤ってキレイなら、修正の手間は限りなくゼロ！　ベースメイクも薄くて済むから、時間が経っても崩れにくいし、いいことずくめです。朝のメイクを前向きで楽しいものにするためにも、スキンケアファーストが絶対なんです。

そして――矛盾するみたいだけれど、スキンケアを毎日続けるためにも、無理はしないというのも鉄則。コスメをずらりと並べて、あれこれ試せたら楽しいけれど、お金も時間も限られているのが現実。毎日続けられるコスメで、手早く、でもしっかりケアできるのが理想。仕事も恋愛も趣味も…とやりたいことがたくさんあるのに、スキンケアにエネルギーをとられすぎてしまっては本末転倒です。何より、スキンケアが義務になってしまったら楽しくない。無理なく、楽しく――それがゆうこす的スキンケアの正解です。

デニムサロペット／エモダ
インナー／スタイリスト私物

theory:2

スキンケアの柱は、
何はともあれオイル

a.スクワランやアルガンオイルなど天然由来成分100%でベタつきません。YOAN BQ トリートメントオイル／
KYU　b.カメリアオイルをベースにしたふっくらテクスチャー。アイディアルオイル／ファミュ（アリエルト
レーディング）　c.純度99.9%のオイル。上質なのに、1,500円台とお手頃♡高品位「スクワラン」／ハーバー

オイルのブースター使いで
しっとりうるるん肌に

　スキンケアの極意を1つだけお伝えするなら、「油分の大切さ」！　私も20歳くらいの頃はオイルやクリームなんてほとんど使わず、高級な化粧水を一生懸命使っていました。でも、自分自身が化粧品をプロデュースするようになって研究するうち、肌にとって油分がどれほど大事かわかりました。油分が足りない肌に高級な化粧水を使っても、効果は半減！　テカる人も、肌の油分不足から皮脂を過剰に出していることが多いんです。

　油分はさまざまな刺激から肌を守ってくれるし、硬くなった肌を柔らかくほぐしてくれます。

　左ページで紹介しているのは、いろんなオイルを使い倒した私が自信をもっておすすめする「オイル」たち。オイルはベタベタして苦手、という人は化粧水の後にオイルを使っていませんか？　ぜひお風呂上がりや洗顔直後の「肌がまだ濡れてるかな？」くらいの時に、オイルをなじませてください。これが、「オイルのブースター使い」です。これだけで、不思議と肌に浸透して、ベタつかずに、しっとりうるるん肌になれます。その後の化粧水の浸透も、ぐんとよくなります！　スクワランやアルガンオイルがベースになっているものを選ぶと、すうっとなじんで気持ちよく使えます。

　実はいいオイルは原価が高いので、正直、高価になりがちです。でも、1本持っていれば、洗顔後のブースターとしてだけでなく、クリームなどに混ぜてもいい。顔だけでなく、髪、爪、ボディにだって使えます。シャンプー前の頭皮マッサージに使うこともできる。めちゃくちゃ活躍してくれるので実はおトクだと思います。

20代前半はスキンケアを頑張りすぎて、逆にニキビができたりトラブルを招いていたことも。3モードを取り入れてから、肌の調子、いい感じです！

mode.1

いつもモード

スキンケアの日常ルーティンは化粧水、美容液、乳液、クリームの4つが基本です。オイリー肌の人、ニキビができやすい人は、クリームはなしにしても。20代以降は"油分のフタ"があるほうが皮脂分泌が落ち着くので、1つは取り入れてください。

mode.2

手抜きモード

今日は頑張れないという日は、お風呂上がりに体を拭いたら、手のひら一杯のオイルを取り、顔、全身に塗る。これでお手入れ完了！会食でお酒を飲んだりして遅い時間に帰宅した時でもこのケアをしておけば安心です。

mode.3

気合モード

デートや撮影の前など、ここぞという時の前日は、スチームを浴びる、パックを使う、角質ケアをするなど"いつものケア"にプラスしたケアを組み込みます。お風呂にしっかり入ってからじっくりお手入れを楽しみます。月に2日くらいこういう日があれば十分です。

theory:3

忙しい毎日だから「お手入れ3モード」が必要です！

めんどくさくて続かない…を解決できた「頑張りすぎない」マイルール

以前はスキンケアに1時間かけていたこともあります。けれど肌の調子はイマイチ…。会社を立ち上げて忙しくなって、超ミニマムなケアしかできなくなったら、あれ？前より肌の調子がいい感じかも？と気づいたんです。スキンケアは頑張ればいいってもんじゃない（笑）。「毎日続けられる」ことが何より大切。そのためにも、忙しい時は頑張りすぎないこと！ 試行錯誤して、今の"3モード"にたどりつきました。

まずは"いつもモード"。日々のライフスタイルの中で無理なくこなせる基本のスキンケアですね。8割の日は、このモード。いわば土台のスキンケアです。次のページで詳しく紹介しています。

2つめは"手抜きモード"。忙しくて無理！という日は、お風呂上がりにオイル1本で全身ケアしておしまい。「めんどくさいからもういいや」にならないために、「最低でもコレだけはする！」と、ハードルをどれだけ低くできるかがポイントです。実際、週に1度くらいは、そういうミニマムケアに助けられています。

そして3つめは"気合モード"。たとえば休みの日、そんなに疲れていない日は、角質ケアをしたりスチームをあてたり。この時大切なのは、「これはスペシャルな日に使うもの」と基礎コスメを替えないこと。そうすると家が化粧品だらけになってしまうでしょ？ 時間もお金も限られているのだから、そんな無理をしても続かない。基本の"いつもモード"に1つ2つ、スペシャルケアをプラスするくらいが、ゆったりした気持ちで楽しめます。

a

b

お手頃

e

c

f

THREE

d

これが"いつもモード"のスタメン
ツボ押しで気持ちも肌もリセット!

オイルがスキンケアの基本というお話をしましたが、それはいつものケアでも一緒。まずはお風呂上がりにブースター的にオイルを使って、それから"いつもモード"のお手入れに入ります。使うのは化粧水、美容液、乳液、クリームの4アイテム。肌をあれこれいじっていた頃より、この4ステップでシンプルケアに徹するほうが、肌の調子もいいみたいです。

化粧水はコットンのほうがしっかり浸透してくれるけれど、時間がない時は手でも大丈夫。乾きやすいほおや目元部分はゆっくり押し込むようにつけます。美容液と乳液は、混ぜて使うと時短にもなるし、合わせて使うことで肌への摩擦も減るのでおすすめです。最後にクリームをたっぷり塗って完了です。

"いつもモード"のスタメン。クリームと美容液はその日の気分に合わせてどちらかをチョイスします。a.セラミド類似成分入りで、化粧水とは思えない潤い感がお気に入り! モイストバランス ローション／アクセーヌ b.こっくりしたテクスチュアの乳液で、フクフクの肌に。アンフィネス ダーマ パンプ ミルク S／アルビオン c.リーズナブルなのに抜群の保湿力です。キュレル 潤浸保湿 フェイスクリーム（医薬部外品）／花王 d.3種の油脂のブレンドが絶妙で、しなやかなあと肌に。エミング クリーム／THREE e.洗顔後すぐの肌を素直に整える美容液。リポソームの美容液はずっと愛用しているので今度のリニューアルも楽しみです。モイスチュア リポソーム／コスメデコルテ f.軽やかなのに肌がもっちり整う美容液。夜使えば、朝のメイクのりがアップします! アドバンス ナイト リペア SMR コンプレックス／エスティ ローダー

お手入れのついでにちょっとツボを押して、「疲れをリセット」するのも習慣になっています。

美容液やクリームを手のひらでのばしたら、①眉頭　②こめかみ　③フェイスライン　④頭皮の順にツボ押しして、最後にフェイスラインから鎖骨に向けて軽く流します。敏感肌なので、負担にならないようごく弱い圧で行います。1分くらいでできちゃうのですが、すごく気持ちいい！　肌も心も、疲れをリセットしないと、新しいものが入りません。昨日の不安を持ち越していたら新しいアイデアが浮かばないし、肌がよどんでいたらいいコスメだって効かない。この習慣で、肌も気持ちもすっと落ち着きます。

theory:4

シンプル4ステップ
"いつもモード"を徹底解説

theory:5

巡りケアでお肌がぷりん
角質ケアでお肌がつるん

「気合モード」コスメ

ヤバいくらいに肌が上がる♡

　普段のケアはシンプルを心がけていますが、時間と気持ちに余裕がある"気合モード"の時はスペシャルケアを取り入れるようにしています。「やらなくちゃ」と義務になったら面倒ですが、お休み前日などにゆったり行うケアは、楽しいリラックスタイムです。エステなどに行くよりお財布にも優しいし、時間もかからないし、たまにやると効果もすごく実感できます。

　撮影前の夜に頼るのが、炭酸ガスのパック。巡りがよくなるせいか、水分量が上がって肌がぷりん！とするんです。ちょっとお値段が張るので私は月に2回くらいの使用に留

お手頃

プチブラ

b

a

c

058

めていますが、1回使うだけでももうヤバいくらいに肌が変わるので、特別な日の前夜などにおすすめです。

　ヘアメイクさんもよく使ってくれるのは、パナソニックのスチーマー。ただ蒸気を浴びるだけでも肌がしっとり整うけれど、最近のものは、なんと手持ちの化粧水をミスト状にしてあてられるように進化しています。スチーマーかパックをたまに取り入れると、肌の潤いレベルがぐんっと上がるのが実感できて嬉しいです。

　それからもう1つ、欠かせないなと思うのが角質ケア。肌のターンオーバー（生まれ変わり）は年齢を重ねるほどにスピードが落ちてくるので、それを放置しておくとくすみやにごり、硬さが出てきてしまいます。とはいえ、こする刺激は肌の負担になるので、角質ケアは塗るだけ、軽くなじませるだけでOKというマイルドなものを選びます。顔はもちろんですが、座り姿勢で圧迫されるヒップの下側などのボディも角質ケアすると、見違えるような肌になれます♡

e

d

a.ジェルとパウダーを混ぜることで生まれる炭酸が、肌を柔らかくほぐしてクリアな状態に。1回分が約2,750円（税込）と高いですが、その価値あり！炭酸ジェルパック 10回分／フェヴリナ
b.ジェルを指先でクルクルなじませると、不要な角質をポロポロ巻き込んですっきり。乾燥する時期に使うと、保湿アイテムが浸透しやすくなります。ナチュラルアクアジェル／Cure
c.デート前に使うと、小豆などのスクラブで、角質がとれてつるん！とした肌になれるマスク。はちみつなど保湿成分も配合されているので、疲れが溜まった日はお風呂で使います。パワーマスク／ラッシュ
d.塗るだけで角質ケアも保湿もできる手軽さが魅力。定番の安心感も。タカミスキンピールボディ／タカミ
e.夜の洗顔前に使えばディープクレンジングに、洗顔後に使えばエステ級の保湿ケアにと大活躍です。スチーマーナノケア EH-SAOB／パナソニック

theory:6

ナチュラルコスメオタクです

これが神8

プチプラ a

プチプラ b

c

お手頃 d

e

お手頃

お手頃 f

お手頃 h

g

お手頃

We ♡ Natural & organic Cosmetics

a.フランキンセンスなど心を満たす精油入り。ザ パブリック オーガニック スーパーポジティブ ダメージリペアシャンプー／カラーズ　b.10代からずっとリピートしている愛用品。しっかり保湿できます。Dr.ハウシュカ リップケアスティック／インターナショナルコスメティックス　c.マスクならコレ。ちょっと高いけど、保湿しつつキュッと引き締まった肌に。ドリームグロウマスク PF（ハリ・エイジングケア）（6枚入り）／ファミュ（アリエルトレーディング）　d.LRG&YY ソープ（ラベンダーローズゼラニウム＆イ

ランイラン）／ジョンマスターオーガニック　e.オーガニックシュガーとクルミの殻のスクラブで、すべらか肌に♡ ジョヴァンニ シュガー ボディスクラブ ホットチョコレート／コスメキッチン　f.発酵粕エキスが肌になじんで、しっとり柔らかくしてくれます。YOAN BQ トリートメントローション／KYU　g.肌に柔らかさが出て、メイクのりも UP。トーン ブースター セラム（M）／トーン　h.ダマスクローズとゼラニウムがふわっと香って、華やかなバスタイムに。ローズダイブ バスソルト／SHIGETA PARIS

普通に、心地よく生きるのが
一番の美容だと思うから

　コスメをプロデュースするようになって、成分について
も肌の仕組みについても、めちゃめちゃ勉強しました。そ
れにつれて見直すようになってきたのが、オーガニック＆
ナチュラル系のコスメです。

　もともとコスメオタクだったので、ナチュラル系のコスメ
については"あまり効き目がなさそう"というイメージでし
た。でも実は、お薬の成分の多くが植物から作られている
んですよね。植物由来の原料だから効き目が弱いとは限ら
ないんです。肌悩みや肌タイプにもよりますが、ナチュラ
ル系コスメにも「効く」ものがたくさんあります。

　何より、ナチュラル系は人工香料ではなく自然の香りな
ので、つけていて気持ちいい。ふんわりと優しい香りに包
まれるとリラックスできて自律神経も整います。「使ってい
て心地いいこと」は、私にとってとても大切！　こういう
小さなことが、ケアの時間を楽しみに変えて、スキンケア
効果も何倍にも高めてくれるからです。

　今回紹介している8アイテムは、機能的にも、心地よさ
的にもイチオシのものばかり。シャンプーやリップクリー
ムなどもチョイスしているので、ナチュラルコスメ初心者
の方にも使いやすいと思います。

　ナチュラル系コスメのブランドには、環境に配慮してい
るところも多くて、植物由来の原料を使用、動物実験を行
わない、パッケージのリサイクル、循環型エネルギーの利
用…といったこだわりがある。そういったものを選ぶと気
持ちいいし、環境への負荷を減らせていると思うと、それ
を使っている自分のことも好きになれる感じがします。

theory:7

肌リセットの鉄則「クレンジング9：洗顔1」が、

クレンジングは
オイルとミルクの2本を常備！

以前、ファンの方々にどんなクレンジングを使っているか聞いたら、オイル派が圧倒的に多かったんです。確かにオイルはすっきりメイクが落ちるんですが、「ちょっと待って！」と言いたい（笑）。

肌にとって紫外線や摩擦も負担になりますが、同じくらいにストレスをかけるのが「洗う」というステップ。特にクレンジングは、メイクを落とす時に同時に肌に必要な皮脂や水分も奪ってしまいます。オイルクレンジングは汚れ落ちがいいぶん、毎日使うと、肌への負担が大きいんです。

メイクの濃さに合わせてクレンジングを使い分けるだけで、肌が元気になります。私の場合は仕事でさまざまなメイクをしていただくので、種類も多めで5種類くらい持っていますが、基本は、すっきり落ちるオイルと、優しくオフするミルクの2つを持っておけば万能です。特に今は、マスクが日常になって、ベースメイクが薄くなっているから、マイルドなクレンジングで十分な日もあるはず。ちなみに私は目元がすごく乾燥しやすいので、ウォータープルーフのマスカラを使った日は、マスカラタイプのアイメイクアップリムーバーを使っています。クレンジングの最後に優しくなじませる方法が自分に合っている気がします。

クレンジングの後の洗顔はたっぷりの泡でごく軽く。「これ、洗ったうちに入るの？」というくらい軽く、ささっと洗います。クレンジングの手間が9、洗顔が1。これが、肌を傷めず潤いを守ったまますっぴんにリセットする秘訣です。

theory:8

肌を傷めない、摩擦レスの
お風呂クレンジング

クレンジングを制するものは
美肌を制する!

　夜のクレンジングは、お風呂でバスタブに入って湯気のスチームを浴びてから行います。軽くなじませるだけで、メイク汚れとなじみやすく、するんと落とせます。量はケチらずにたっぷり使います。流す時はシャワー派ですが、シャワーを直接あてると肌への刺激になるので、シャワーを最弱にして、つむじのあたりからジョボジョボ…と流します。どこまでも優しく!が、クレンジングの心得です!

もはや「クレンジングバー」と化しているお風呂場。クレンジングと洗顔で肌を柔らかく整えると、続くスキンケアも浸透しやすい素直な肌に整います。

洗顔は優しさ重視！
クレンジングはオイルとミルクを使い分け

お手頃
b

プチプラ
a

お手頃
d

お手頃
c

プチプラ
e

洗顔は泡タイプがめんどくさくならずに使いやすいです。クレンジングはオイルの代わりにバームもおすすめ。濃いメイクの日はcのバーム、日焼け止めとお粉程度の休日メイクではdのミルクと使い分けます。a.植物性アミノ酸系洗浄成分配合。揺らぎやすい肌を包み込むふわふわ泡が気持ちいい！ ミノン アミノモイスト ジェントルウォッシュ ホイップ／第一三共ヘルスケア b.グリコール酸配合で、角質が溜まりがちな敏感肌の硬さやごわつきをほぐしてくれます。リセット ウォッシュ／ア

クセーヌ c.毛穴汚れまで落とせるのに、洗い上がりはもちもち。AHAエキス入りで、毎日使えるマイルドなピーリング作用ありと、こだわって開発しました。YOAN BQ クレンジングバーム／KYU d.石油系界面活性剤不使用。潤いを残してしっかりメイクを落としてくれる、使いやすい1本です。チャントアチャーム クレンジングミルク／ネイチャーズウェイ e.ウォータープルーフのマスカラもこすらずに落とせるので目元への負担が少ない！ ヒロインメイク スピーディーマスカラリムーバー／KISSME（伊勢半）

theory:9

敏感になった時こそ
マイルドなピーリングを組み込む

以前は、疲れが溜まったり睡眠不足になるとすぐ敏感になっていました。この時は首に皮ムケが出てしまい、顔用の敏感肌コスメをたっぷり使って落ち着かせました。今はケアのおかげでトラブルはずいぶん減りました！

敏感になる前に。「あれ？」と思ったらレスキューラインに即切り替え

美容の仕事をしていると、肌が丈夫と思われるかもしれませんが、実は肌が弱いんです。赤くなるし、すぐ皮が剥けるし、ニキビもできやすい。だから、「肌が揺らいだ時はこれに頼る」レスキューラインアップは必須。私にとってお守りのような存在です。いったんトラブルが出てしまうと、そこからフラットな状態まで回復させるにはどうしても時間がかかりますよね。だから、あれ？と思ったら早めに敏感肌用のコスメに切り替えて、トラブルの芽を摘んでおきます。

裏技は、ごくマイルドでいいのでピーリング作用のあるアイテムを組み込むこと。もちろん、ピーリング作用が強すぎると肌に赤みが出たり、ツルツルになりすぎてキメがなくなってしまうので注意は必要です。でも、敏感な時って角質肥厚をおこして肌がごわついていたり、表面がざらっとしてくるので、作用が弱いピーリングものを取り入れるとむしろ調子がよくなります。また、肌をあれこれいじるのもトラブルの元になりますから、保湿はオールインワン的なものに頼るのも手。刺激を受けやすいので、揺らいだ時こそUVケアも忘れずに。

メイクが可愛いのもいいけれど、私は揺らぎやすいから、肌の調子がいいのが一番嬉しい！　敏感肌ケアを頑張ると、すんごいポジティブになれますよ。

a.紫外線吸収剤を使わない優しい設計。石けんで落とせるのも◎。ノブ　ＵＶシールドＥＸ SPF50+ PA++++／常盤薬品工業　b.ノブは皮膚科でも紹介される老舗ブランドだけあって、安心感があります。荒れた肌も優しく包み込むとろみタイプで、天然セラミド入りでしっとりみずみずしい肌に。ノブ　Ⅲ　フェイスローション　ＥＸ(医薬部外品)／常盤薬品工業　c.柔らかな肌あたりで敏感肌にもおすすめ。肌も気持ちもほぐれるほのかな温感も嬉しい。YOAN BQ ホットクレンジングジェル／KYU　d.ヘパリン類似物質配合で高保湿を叶えてくれる敏感肌のためのオールインワン。カルテHD　モイスチュア インストール 高保湿オールインワン (医薬部外品)／コーセー マルホ ファーマ　e.繊維刺激の少ないシートにまでこだわっているのが嬉しい！　乾燥による小じわも目立たなくなってうるんとします。ミノンアミノモイスト ぷるぷるしっとり肌マスク (4枚入り)／第一三共ヘルスケア

忙しくてスキンケアの手を抜いたら 逆にいい感じに!

　メイクでもスキンケアでも、若い頃はとにかく「頑張らなくちゃ」だったんです。肌をこすったりニキビをつぶしたり、という無茶もけっこうあったと思います。10代の頃なんてエネルギーが過剰だから、集めた情報をすべて実践してみたい!ってなるじゃないですか(笑)。スチーマーを毎日あてたり、マッサージしたり、気づけば1時間も顔をいじりまわしているような毎日でした。

　でも、そうやってスキンケアを頑張っていても結果がついてこないというか、アレ?と思うようになったのが20代半ば。お手入れに一生懸命になるあまりに睡眠時間が削られていたり、キレイになりたいと言いながら食事がおざなりだったりして、これって本末転倒じゃない?と思うようになったんです。お料理だって、砂糖と塩とみりんと生姜とお醤油と…って、いいと思うものをもし全部入れたら、ひどい味になりますよね(笑)。

　起業して忙しくなり、美容に時間をかけていられなくなったのもこの頃。普段のケアはミニマムで、必要ならお金を払ってプロの手を借りる。「あれも、これもやらなくちゃ」と自分を追い込むのではなく、もっと気楽にスキンケアをとらえるようになりました。

　使うコスメのアイテム数もステップも、必要最低限になった今は、肌の調子もとてもいい感じです(P.56で紹介している基本の4ステップは、本当に最強と思うので、ぜひ使ってほしいです!)。スキンケアだけでなく、ゆっくり寝たり、コンビニご飯でもいいからバランスのいいものを食べたり。トータルで美を育てる意識が今の私を支えていると思います。

theory:10

美容に時間をかけすぎない。
自分を追い込まない

theory:11

頭皮ケアのすごさに
最近気づいてしまいました

髪だけでなく肌までいい感じに！
自宅ヘッドスパにやみつき

　最近になってよさに気づいたお手入れがあります。それ
が頭皮ケア！　ぶっちゃけて言えば頭皮ケアコスメを使う
ようになったきっかけはお仕事なんですが、実際にやって
みたらすっごくいいんです。気持ちよくてシンプルにリフ
レッシュできて、頭が軽くなる実感にやみつきで、週2ペー
スで楽しんでいます。

　お風呂でヘッドスパ専用のトリートメントをつけたら、
道具は使わず、写真みたいに両手をがっと髪の内側に差し
込んで、5本指でしっかり頭皮をつかんでマッサージしま
す。そのあとにツボ押し。頭はツボだらけなので、場所が
適当でも、大丈夫。気持ちいいな、と思うところを押して
ます。たった1〜2分くらいのケアですが、ヘッドスパして
もらったような満足感です♡　頭皮も顔も皮一枚でつな
がっているので、顔の血色がよくなって、くすみがとれる
のも即効でわかります。

　頭皮の毛穴が詰まるとニオイの原因になる、フケが出
る、髪が細くなる…なんて話もありますが、実際に、頭皮
の皮脂腺は顔のTゾーンの2倍もあるそうです。私は髪が
細いほうなので、詰まりやベタつきといったトラブルを未
然に防いで、毛穴をしっかり育てるためにも頭皮ケアは続
けたいな。

　大人になるにつれ、毎日の美容は「キレイになる」より
も「どれだけ肌と心の疲れをとるか」が大切になりました。
PCやスマホを毎日使って、目も頭も疲労を溜め込んでいる
から、ヘッドスパでその疲れがとれて、結果的にキレイに
つながるなんて、すごく現代にマッチしたケアですよね。

theory:12 お風呂上がりは

ヘアオイルは、お風呂上がりの
濡れている髪につけると浸透が違う!

きちんとお手入れされたツヤのある髪は、何より最高のアクセサリー。私はロングヘアなので、毛先に傷みやバサつきがあったら一気に残念感が出てしまいます。

髪もスキンケアと一緒で、ケアの柱となるのはオイル。お風呂上がりに髪を拭いたら、すぐにオイルをつけて、ターバンを巻いて、それから

ボディケアやスキンケアへ。この順番が大切で、ほかのパーツをケアしている間に髪にオイルを浸透させることができます。

下で紹介しているイネスのスクラブ クレンズは、シャンプーとしても使えて頭皮ケアもできる一石二鳥のアイテム。時短でキレイになりたい私にピッタリです(笑)。

Best for hair & scalp treatment

お手頃 a

お手頃 b

お手頃 c

a.海塩のスクラブ入りで、シャンプーしながら頭皮の古い角質や皮脂もすっきりオフ。とろっとした感触や、爽やかなシトラス系の香りも好き! イネス ジェントル スクラブ クレンズ／花王 b.髪と頭皮を同時に泥パック。髪のまとまりも good。イネス タラソ スパ クリーム／花王 c.通常のシャンプーでは落とせない毛穴詰まりに。泡立たないジェル状です。ラ・カスタ アロマエステ スキャルプ クレンジング リファイン／アルペンローゼ

「タオルドライ→即オイル」で潤い浸透!

a
プチプラ

b
お手頃

c
お手頃

a.吸水性の高いマイクロファイバーを使用。髪を乾かすのも面倒なタチなので(笑)、スキンケアをしている間に髪の水分がぐんぐん吸収され、ドライヤーの時間がぐんと短くなるのが嬉しい。ターバン形でピシッと覆えるところも便利。1,000円ちょっとでお手頃なのに、すごく活躍してくれます。カラリモア 吸水ヘアターバン 全4色／シービージャパン b.天然由来成分98%で、髪にも肌にも使えるお気に入り。ドライヤーやスタイリングの前のほか、髪の乾燥が気になった時に使いやすいオイルインミスト。オーガニックなのに2,000円程度の価格も嬉しい。ラーレ オーガニックミスト／Cure c.バオバブエキス配合で、髪の保水力がUP。ぺたんと髪がつぶれず、軽やかに保湿できるので愛用中。エルジューダ グレイスオン エマルジョン／ミルボン

theory:13

ドライヤーの冷風モードでうるっとツヤ髪に仕上げる

スマホを観ながら、乾かしながら
潤いも閉じ込めてツヤツヤに

　お風呂上がりはサッとスキンケアして、髪を乾かして、とにかく「早く次の何かをしたいな」と思っちゃうせっかちタイプ。なので、洗面所に椅子を置いて、スマホを置くスペースを作って、髪を乾かしながら映画を観たり、YouTubeを観たりしています。ドライヤーで音はかき消されますが、字幕モードにすれば大丈夫。私の髪の長さだと乾かすのに10分くらいかかってしまうんですが、その間も何かを"ながら"で楽しんでいればあっという間です。

　乾かし方はすごくシンプル。オイルなど保湿ものをつけて熱から髪を守りつつ、根元を中心にドライヤーをかけます。この時、手ぐしを使いながら上から下に向かって乾かすと髪にクセがつきにくくなり、翌朝扱いやすい状態になります。

　8割くらい乾いたら、ドライヤーを冷風モードに。このひと手間が面倒に感じるかもしれませんが、冷たい風をあてるとキューティクルが引き締まるので、髪がツヤっと仕上がるんです。ブラッシングしながら冷風を当てるだけでツヤを盛れるので、絶対に欠かさないプロセスです。半乾きの状態だと髪が傷むので、しっかり全部乾かします。ずっと温風をあてるより髪のダメージも少なく済むし、キレイになるし、お金もかからない（笑）。

　乾かした後は、シュシュなど跡がつきにくいもので髪を結ぶことが多いです。広がらないし、寝癖もつきにくくなるし、寝ている時の摩擦も防げるので結んだまま寝ることが多いです。こうやってしっかり乾かして、広がらないようにして寝ると、翌朝が格段にラクですよ。

Hair care

Yuko's way 02

スキンケア編

ゆうこすに 聞いてみた！

Q. ぶっちゃけ、美肌って遺伝じゃないですか？

A. 遺伝ではないです！

とんでもない。私ももともとニキビができやすくて、初めてニキビができた小学生の頃からアイドル時代、学生の頃までしょっちゅう悩まされました。治らなくてずっとニキビのある生活が数年前まで続いていたので、最近になって肌がキレイと言われるようになって不思議な感じがしています。"肌汚いキャラ"だった私だってスキンケアで肌質を変えることができたのだから、肌は遺伝じゃないと断言できます！

Q. 化粧水はコットン使う派？使わない派？

A. スキンケアではあまり使いません

ことスキンケアに関していえば、コットンは基本的に使わないかな。メイク前のコットンパックはメイクの一部だと信じているのですが、その時は使いますね。

Q. YOANってゆうこすにとってどんな存在？

A. 我が子！

自分がプロデュースしたコスメとしては、前身から考えればもう3年くらい。我が子のように可愛くて愛おしい存在だけど、だからこそ、私の元を離れて大きくなってほしいな。常に、ずっと頭の中にある存在。肌が弱い方ってスキンケアに使えるアイテムがどうしても限られてしまいますが、ユアンは安心して使えるので気持ちが上がる、スキンケアが楽しくなる、という声を聞くとすっごく嬉しいです。

Q. ニキビができちゃった (;_;) どんなケアがおすすめ？

A. ビタミンCと睡眠！

皆さんもそうだと思いますが、仕事やデートなどの予定があるから、ニキビは秒で治したいですよね。まずはビタミンCをめちゃめちゃたくさん飲みます。それから睡眠時間をたっぷりとる！余裕がある時なら10時間くらい寝ちゃいますよ（笑）。そして、お野菜、フルーツ、お魚中心の食事に切り替えるとかなり改善するはず。スキンケアでは保湿をしっかり、が鉄則。水分をきちんとチャージしないと、皮脂がさらに出てきちゃいますから。お金と時間に余裕があれば、青山ヒフ科クリニック（P.94）でニキビ注射を。たいして痛くないのにテキメンに効いて、ニキビがすっと落ち着きます。

Chapter 3,

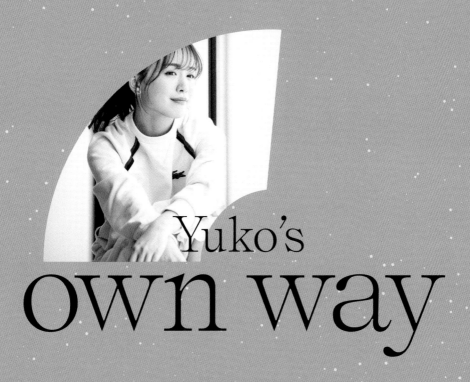

Yuko's
own way

YouTuber として、プロデューサーとして、経営
者として…目が回るほど忙しい毎日ですが、恋
をしたり、カルチャーを楽しんだりという日常
も同じくらい大切にしています。多忙な私を支
えてくれるもの、大切にしている考え方をぎゅ
ぎゅっと詰め込んでご紹介します♡

仕事を頑張ることで、自信という宝物をGET

　アイドルをやっていた高校生の頃、「自信あるでしょ」とよく言われていました。でも、アイドルグループのメンバーは横並びに扱われるし、自分にはほかの子を圧倒するような個性がない。そう思って、ずっと自信がなかったんです。

　あれから10年経って、今の私は自分に自信があります。そんな自信をくれたのは、仕事！　働けていること、自分でお金を稼げることって、シンプルだけどすごく大切。私はタレント、経営者など、いろんな仕事をしていますが、職種に関係なく、どんな仕事をしていても、真剣に取り組めば自信を育んでくれると思うんです。

　「オフィスに勤めていて、『この仕事をやってね』と言われてこなす作業が多いので、自信と言われてもピンとこない…」と思われる人もいるかもしれませんが、たとえば"自分の仕事の時間を測る"というちょっとした工夫でも、自信につながると思います。「このくらいの仕事量で、今日の私の精神状態はこうだから、この時間でできるな」って計算して「2時間で終わらせよう」と決める。そしてそれを達成する努力をする。時間が読めること、効率化できたことで、確実に自信が生まれてきます。それにそうやってどんどん効率化していくと、ちょっとずつ隙間時間が生まれるんですよ。これが大切！

時間を生み出せば、言葉と経験が増える

　隙間時間を増やせるようになったら、"上手に使う"努力も大

働くこと、お金を稼ぐ

事。たとえば1時間早く帰って意識的に何かを見に行くのもおすすめだし、気になっていたYouTubeを観るなどでもいいので、せっかく捻出した時間をきちんと"楽しむ"。自分のために使う意識を持つといいのかなと思います。

　この時に、隙間時間で見たこと、経験したことを必ず誰かに話すのがポイントです。感想を人に話すってちょっと恥ずかしい行為ですが、ただ「楽しかった〜」ではなく、「展覧会に行ったらこんな展示があって、こういうところが面白かった」と具体的に話してみてください。それが、きちんと話す、言葉を持つ、視点を持つ自分につながります。いろんなことを知って、多くの視点を持つようにすれば、自信っていつの間にかついてきます。

やりたいことがわかる人は一部。まずは目の前の一歩から！

　最近は、新卒の方の前でお話をしたり、ビジネスイベントでの講演会に呼んでいただくこともあります。そういった時に「やりたいことがわかりません」「自分の得意ってどうやって見つけるの？」とよく聞かれるんですね。でも、いきなり社会に出て何をやりたいか聞かれても、わからなくて当然だと思うんです。そんな時は"目の前の人を楽しませること"に徹してみてください。仕事は誰かと関わるものがほとんどですから、ただこなすだけではなく、まずはその相手を楽しませること。そして、自分が相手を楽しませられたなと実感できる何かがあれば、それはきっと、自分に向いている仕事です。そうやって突き詰めていくと、自然と"自分にしかできないもの""やりたいこと"が少しずつわかってきます。仕事は食い扶持だけど、絶対に人生を楽しくしてくれますよ。

ことって、すごく大事!!

になっても、その時々のモテを追求してい
るんじゃないかな。

自己満足のメイクを
卒業して、さらに楽しく

もう1つ、メイクの楽しさが広がったの
も、大人になってよかったこと。20代前
半まではわりと時間があるので、今思えば
自己満足なんですが、メイクは徹底的にこ
だわりたいと思っていたんです。

でも、社会人になると10代のようなメ
イクも難しいし、「ザ・大人」みたいなメ
イクはまだ早いし…という感じになってく
るんですよね。とはいえあれこれ研究する
ほどの時間はない。だんだん自分に合うメ
イクがわからなくなってきたんです。

それが逆に楽しくなってきたのは、会う
人や行く場所に合わせたメイクを考えるよ

何歳になっても
その時々のモテを追求したい

20代前半までは、自分がいつか30歳に
なるなんて想像できませんでした（笑）。特
に、私が育った環境では「モテ＝仔犬みた
いな、かよわくて守ってあげたくなる子」
だったので、年齢を重ねると「可愛くない」
になるイメージだったんです。

でも、実際に自分が20代後半になって
みたら、知識や経験値が増えて、視点が変
わったり増えていっている自分がいて、シ
ンプルに「魅力が増えている」って思えた
んです。なので、これから先も、新しいも
のに挑戦しよう、経験値を上げようという
意識さえあれば楽しめるし、どんどん魅力
を増やしていけると思えて。その年代にし
か似合わないファッションやメイクもたく
さんあると思うので、今は年齢を重ねるの
がすごく楽しみ！　40歳になっても50歳

年齢を重ねるのが楽しみ！
「魅力」の幅が広がるから

うになってから。それまではクラスメイトや彼氏に会うためのメイクしか考えてこなかったんです。でも、上司や後輩、取引先など会う相手が増えてくると、それに合わせてメイクするようになりますよね。T.P.O.に合わせるメイクを意識していたら、自然と"今の年齢にしっくりくるメイク"ができるようになってきたんですよ。それが25歳くらいかな。

私のモテ論にも通じるのですが、この頃から、自分と相手の気持ちをどちらも大事にできるようになったんですね。そのプロセスを楽しむようにしたことで心が軽くなり、メイクがさらに楽しくなりました。

心が肌に出る。だから
スキンケアも気楽に

スキンケアも同じで、若い頃は「頑張らなくちゃ」っていろいろやっていたんです。とにかく集めた情報をすべて実践してみていたのが10代で、肌をこすったり、ニキビをつぶしたり…と今思えば肌に負担をかける勘違いケアもたくさんしていました。でも、本当に肌のことを考えた時に、それでいいのかなと疑問に思ったのが25歳くらいですね。

絵の具だって、キレイな色を全部混ぜたらにごった色になりますよね。それと一緒で、ケアもあれこれやりすぎていては本末転倒。自分の肌に本当に必要なものって何

だろう?と考えるようになって、ケアがすごく楽しくなりました。

お手入れで与える水分と油分は大切だけれど、それと同じくらい、睡眠や食事も大切というところに行き着いたのが今。肌の扱い方も見直して、摩擦レスにこだわるようになりました。だから、今使っているコスメは必要最低限。気持ちが肌に出るからやりすぎず、気楽になったと思います。

これからも、年齢に合わせてメイクやスキンケアがどんどん変わると思うけれど、それも楽しみ! もっと幅を広げて、もっとあざとく可愛くなっていきたいです♡

基本的に、

POSITIVE

常に前向き。

前向きに発信するのが何より強い！ 私はすごくポジティブなんですが、もともとそうだったわけではありません。自分の感情をコントロールできない時期もありました。でも、その頃の自分を振り返ってみると、病んでいたなと思うんですよ。もちろん、当時の自分もすごく頑張って努力していたと思います。でも、視野が狭くて、余裕がなかったんですね。今思えば、その最大の原因は"自分の生活を大事にできていない"という、基本中の基本でした。きちんと睡眠をとれていなかったり、いい加減な食事をしていたかと思うと急にダイエットを始めて、ちゃんとした食事を摂れていなかったり。そんな感じでずっと調子が悪いから、生き物としてダメでした（苦笑）。どんな仕事より恋愛より、まずは体を大切にしないと！ これって気づけない人が案外多いので、声を大にして言い続けたいです。私はたまたまその時にお付き合いしていた人が「もっと体を大事にしなよ」と言ってくれたので、本当にありがたかった。当時の自分には「いっぱい寝てね」と言ってあげたいです。

人のせいにするのはラク？ 芸能関係の友人たちから「事務所は何もしてくれない」って相談を受けることが多いんです。私ももともと、そういうタイプだったと思います。でも、ある時"自責"で考えてみたら、まだまだできることがある！って気づいたんです。たとえば私が米津玄師さんだったら、事務所が何もしてくれないわけないですよね。でも、米津さんはハチとして発信してきてきちんとパワーを持ったから、事務所と対等になったん

です。「何もしてくれない」と文句言っているゆうこすでは、事務所だってどんな仕事を振ればいいのかわからないじゃないですか。そして、その先にいるたくさんの人にも、何も伝わりません。どんな手段でもいいのでまずはパワーを持って、自分でフォロワーを抱えてみよう、と思いました。人のせいにする、環境のせいにするのは簡単ですが、実は「自分の悪いところはどこだったんだろう？」と考えるほうがラクでもあるんですよ。他人や環境を変えるのはめちゃめちゃ大変ですけど、自分なら「じゃあこうしよう」ってすぐ変えられるから変化も早いし、フィードバックもダイレクトにくる。だから、私は絶対に「自責で、前向きに」を心がけてます。それこそ中学生の頃、ぶりっ子と言われてメゲていた時期もありますが、高校生くらいになったら「そうなんだよねー、私ってめっちゃぶりっ子なんだよね」なんて言ったり（笑）。そうすると周囲も面白がってくれて、何の問題もなくなったんです。

SNSのおかげでポジティブに　もちろんSNSをやっているとアンチも出てきます。そういう時も"DJ能力"とでもいうのかな、前向きに発信し続けるように意識しています。ネガティブに発信すると後ろ指をさされやすいですが、"ピンチをチャンスに変える"くらいの感覚でポジティブに発信していくと強くなれる。何より、人は前向きな人に惹かれるんですよね。漫画の主人公を見ても、NARUTOだってルフィだって、もうダメだっていうピンチの時ほどポジティブで、みんなの士気を上げてくれるでしょ？　前向きなほうが人生はラクだし、楽しいし、得だと信じてます。

ポジティブ最強！

恋愛と自立。

恋愛は技術。

恋愛の話なのに「自立」って…？　そう思う人もいると思いますが、私の中ではめっちゃ大事なこと。精神的な面でも、お金や住む場所といった暮らしの面でも「自立」は大切なポイントだと思っています。

自立できていなかった頃の私は、恋愛で相手に依存していました。収入もなくて彼に生活を頼ってたから自信が持てなかったし、メンタルも不安定だったんじゃないかな。まずは自分の足できちんと立つこと、経済的に誰かに頼らないこと。それって恋愛においてすごく大切なことなんです。

精神的な部分の自立っていうのは、「彼氏以外のところで楽しめるか」。自分の楽しいことのすべてが彼氏になってしまったら、相手だってきっと不安ですよね。それに、彼氏以外のコミュニティがある、夢中になれることがあるのは精神衛生上もすごくプラス。必ずしも誰かと過ごす必要はなくて、仕事でも趣味でも、夢中になれることならOK。たとえば私なら、一人で漫画に没頭したりサウナに行くのも大切な時間！

彼と一緒にいなくても自分のことを楽しませられるようでないと、相手に依存しちゃいますよね。彼が今何をしてるのかな？ってずっと気になってしまうし、ケンカした時も行き場がなくなる。それではクールダウンできないですよね。

そんな、「精神とお金の自立」をきちんと確保してみたら、恋愛が素晴らしいものになりました。2人の視点で見ることで新しい発見もあるし、自分自身もより開かれる感じになる。相手のことを心の底から思う、友達とはまた別のコミュニケーションです。

愛するって難しくて、たとえば「あなたのためを思って」

対等な関係。

Love

という行動が、小さな子供に対する愛みたいに過剰になったりしがち。そうではなく、相手の行動を優しく見守る、好きだからこそ、ゆずれない部分を話し合う、そんなことの積み重ねなんだなと気づかせてくれたのが今の彼です。

　もちろん、ケンカはしますよ。そんな時は、お互いに「これを嫌だと思った」とiPadに書いて俯瞰して、感情を整理するんです。そうすると、なんで怒っていたかが深掘りできるんですよ。基本的に感情論であるケンカも、きちんと整理すると自分が怒った根本の原因に気付けたり、「ゆうこはこう思っていた、僕はこう思っていた、ここがすれ違ってたんだね」って話し合えるようになる。頭ごなしに感情を否定するのは失礼だけど、怒る原因となった行動なら変えられますよね。こういう技術も、彼が教えてくれました。お互いの感情を書き出して、俯瞰して、分解する。この作業はケンカした時にすごくオススメなので、ぜひ試してみてほしいです！

　きちんと向き合う努力をして、相手の気持ちも、自分の気持ちも、客観的に見つめるとうまくいく。恋愛って技術が必要なんだなとつくづく思います。

　恋愛相談動画を撮った時、「浮気されちゃった！ どう注意すればいい？」「家事を手伝ってほしいんだけど、彼にどう伝える？」なんて質問が寄せられるんです。昔の私なら「ちょっとぶりっ子して、優しく可愛く話してみよう」なんて言ってたと思います（笑）。でも、そんな関係って実は対等じゃない。それよりも、技術を用いて根本から解決するほうが、絶対に楽しい恋愛になります。無理に可愛らしく振る舞うより、相手ときちんと向き合い、対等に話し合える関係を築くこと。それに、我慢せず自分の気持ちを伝えていくほうが、ちゃんとした人にモテてもっと恋愛が楽しくなりますよ！

肌がキレイって
言われるように
なったのは最近。
誰だって変われる、
美肌になれる！

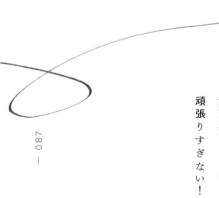

メイクは自己表現。
手軽さや抜け感、
洒落感を出して
頑張りすぎない！

Complex
整形しました。悩みに向き合う

コンプレックスと向き合って決めました

　突然ですが、整形しました。

　YouTubeとTwitterではご報告をしたので見てくださった方もいると思います。ここでは、何をどうしたという話ではなく、どうして整形を公表したのか、を伝えさせてください。

　ずっと以前から、自分の鼻の形が気になっていたんです。メイクではどうしても変えられない部分でもあるし、整形することで揶揄される世界線ということは理解していました。でも、ちゃんとコンプレックスと向き合って考えた上で自分のお金で整形する。痛い思いを乗り越えて納得してやっているのに、何も知らないまわりから批判されるのって、よくわからないなという思いもあったんです。

　キレイになりたい、可愛くなりたいという想いはあって当然だし、他人から批判されるべきものではない。キレイになるために頑張ることが揶揄されるのっておかしい。もちろん整形を繰り返して依存症みたいになってしまったら問題だと思いますが。

　私は韓国が好きでよく旅行に行っていたのですが、皆さんカジュアルに整形して、ダウンタイム中にご飯に行ったりとすごくオープンでいいなと思いました。そういった経緯もあり、整形した時に、それをポジティブに発信しようと決めました。

気軽に「みんなも整形したら?」とは言えない

　発信する時に注意したのは、情報発信にならないようにすること。たとえばダウンタイムとか術後の経過を伝えたら情報発信になってしまいますよね。そうなると質問も寄せられるけれど、私はそこまでの責任を負えない。私は整形してよかったけれど100%満足しているわけではないし、やっぱりダウンタイム中はすごく腫れるしブサイクになるから(笑)、み

のは恥ずかしくない！

んなもやってみたら？とは言えない。手術をする前は大丈夫かなという不安もあったし、病院を選ぶのも大変でした。

でも整形してみて、鏡を見るたびに「こうだったらいいのに」と気になっていた部分が改善されたので、気持ちの面でいうとすごく元気になれたんです。「修正が多いと、メイクが楽しくなくなる」という話をしましたが、そういう修正のプロセスが減ったのが嬉しい。私はやってみてよかったなと素直に思えました。そんな気持ちでポジティブに発信したので、SNSで整形を公表した時も、ネガティブな意見は驚くほど少なかったんですよ。もっと言われるのかと思っていたんですが、批判的な意見はそれこそ1人か2人程度。すごく前向きに受け止めていただけて、それも嬉しかったですね。

キレイになるために頑張るのは悪いことじゃない

ちなみに整形について彼氏にはあらかじめ話をしました。「付き合っている人が整形する、って初めてだから俺も緊張する」とは言われたんですが（笑）、反対はまったくされなかったです。ダウンタイム中にやばいくらい腫れて鼻が大きくなった時も、彼は「あともうちょっとでスッキリするね」と言ってくれて。前向きでいてくれたのがありがたかったな。

両親には事後に「整形してきたわ〜」と普通に明るく話しました。親に怒られなかったかと聞かれることがありますが、そういうことは皆無。もちろんびっくりされましたが、「可愛くなったね♡」くらいのリアクションでした。うちの父は携帯の待ち受けを私にしているくらいのゆうこすオタクなので最初は寂しかったらしいのですが、しばらくすると「やっぱり（整形したほうが）キレイだな」なんて言い出して（笑）。私は周囲に恵まれているなあと思いました。

キレイになるために頑張るのは、ちっとも悪いことじゃない。メイクもダイエットも整形も、手段の1つ。なんだと思います。

ゆうこす的推しマンガ10

『○○○がすごい！』でもセレクトするほど漫画大好き。推し作品は山ほどあるけれど、10代〜20代の女子に読んでほしい珠玉の10冊をセレクト♡

1. そらいろのカニ／ふみふみこ

女の子は絶対にこの漫画が好きになるはず。何回生まれ変わっても、どんな時代になっても、相手がカニでも恋に落ちる。なぜかわからないけれどあなたのことが好きでドキドキします。キラキラした少女漫画とは違うけれど、最高の恋愛漫画。

2. 背野くんに触りたいから死にたい／椎名うみ

初めて読んだ時、「何この漫画は？」って。読み進めていくうちに「あ、これホラーなんだ！」とわかる。気づいた時はぞっとしました。儀式や祟りのような、昔からある日本の怖さが詰まっている。恋愛の要素も入っているから女子が読んでも絶対面白い。いけにえの

3. 白亜／愛☆まどんな

まどんなさんが3年かけて作ったという漫画。命を削って描かれた、クレイジーで素晴らしい作品です。物語の面白さはもちろんですが、描いている人の熱量が届いてきて、血の香りがするような一冊。漫画としては高額なんですが、10万円出しても惜しくないアートです。

4. ニ人で／いくえみ綾

セックスレスをテーマにした、ドロドロで内容がリアルすぎる作品。下手なホラー映画より怖いし、人間のリアルな感情にハラハラします。結婚している人にはどう刺さるのかな？と思わずにはいられない。少女漫画のふわふわした感じとはまったく違う面白さですね。

5. さんかく窓の外側は夜／ヤマシタトモコ

これを女性におすすめしたい理由は、ヤマシタさんの描く男性が美しいから！可愛いイケメンではなく、ちょっと生々しくて鼻が高い、私が好きなタイプの格好よさ。30％くらいのBL要素と若干のホラーみがあって「いいところをついてきたね！」と思わされちゃいます。

6. リトル・ロータス／西浦半未

ベトナム料理が好きな人には、絶対にやばいと思います。深夜のひとりメシやお取り寄せメシの漫画はいろいろありますが、1つの国の料理に特化した漫画って珍しい。描写も秀逸で、シンプルに食べたくなる。食べ物漫画のすごさを思い知らされるLINEマンガの作品。

わかって
いても、何回読んでも泣けま
す。主人公が絶対に死なない存在で、
いろんなものに転生するんですね。何千年も
生きている間に出会う人とのお話です。時代によっ
て悪魔と言われたり、占い師と言われたり…。涙がぶ
わっと出る、声を上げて泣いてしまう物語。

7. 不滅のあなたへ／大今良時

やっぱり安野モヨコ先生はすごい！ いろ
んな作品を描き続けていて、その時代
に求められているものと描きたいも
のを両立させるのが上手すぎ
る。登場人物は全員、リア
ルな40代。まだ2冊です
が、どう展開するのか
わからないハラハ
ラ感も、すごい
テンポもだ
まらな
い。

10. 後ハッピーマニア／安野モヨコ

作者の博さんは、天
才かつ変態だと思って
います。恋愛要素もなし、エロ
要素もなし、主人公の明日ちゃん
が可愛くセーラー服を着ているだけ。
しかも、変態っぽくなるかと思いきや、
どんな漫画より爽やか！ 明日ちゃ
んって本当に生きているので
はと思わされる、可愛く
て美しい漫画です。

9. 明日ちゃんのセーラー服／博

優柔不断で、恋愛体質
かつ依存体質。たくさ
ん失敗する主人公に共
感できる人も多いは
ず。隣に住む典型的な
ダメ男を好きになるん
ですが、映画では綾野
剛さんが演じていて、こ
れもハマりすぎで。ちな
みにジョージ朝倉さん
の描く男子は、二重の
幅が広くてめちゃ好み。

8. ピースオブケイク／ジョージ朝倉

マンガに人生を
教わった！
女子に推したい
ゆうこす
セレクト10

ストライプシャツ／マノン
パンツ／ラン

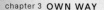

中村佳穂／アイアム主人公

私とあ
まり年齢が変わらない方
なんですが、彼女が書く曲も、ア
ルバムのアートワークも素晴らしいん
です。ジャズが根幹にあるのか、ライ
ブで毎回違うアレンジを披露するのも格
好よくて。どれも大好きですが、「ア
イアム主人公」は勇気をもらえ
る格好いい曲。

銀杏BOYZ／銀河鉄道の夜

「ロック
は生き様」なんて言いま
すが、まさにそれを体現している
バンド。恋愛ソングも泥臭くて、格好
つけてなくて、がむしゃらで。アルバム
を2枚同時にリリースしたり、ノイズまみ
れのものを出したり、めちゃポップス
に走ってみたりという懸命さも
ロックです。

オーバーオール／オムニゴッド
キャミソール／ローラス（スタイリスト私物）

ノーミュージック
ノーライフ。
いつだって音楽が
元気をくれる♡

3. 岡村靖幸／彼氏になって優しくなって

これほ
どピュアな人を、私は知
らない。「愛はおしゃれじゃない」
とか「できるだけ純情でいたい」と
歌う、ずっと男子高校生みたいな可愛
らしさ。人って経験を重ねると羞恥心を
覚えたりしていろいろ変わっていくけ
れど、岡村ちゃんはずっと岡村
ちゃんなのが嬉しい。

4. 藤井風／帰ろう

現代は
風の時代なんて言います
が、そこに現れた神みたいな存
在。曲もすべて格好いいし、佇まいや
喋り方も、ライブも最高。「多くの人に優
しさを与えられる者こそ、与えられてい
る」「死ぬ時までに何を持って帰れる
か」とか、歌詞を自分なりに理
解すると心に沁みます。

5. ゆらゆら帝国／空洞です

いつか
ラジオ番組を持つなら、
オープニングはこれにしたいとずっ
と思っている曲。あなたは僕の心に
大きな空洞を空けて奪い去ったね、とい
う恋愛ソング。ゆら帝の作る音楽の
リズムもメロディも、すべてが格好よく
て大好き。イカしてるの一言に尽
きます。

6. BOØWY／BEAT EMOTION

父の影
響で好きになったBOØ
WY。今聴いても、メロディが格好
よすぎますね。今ってSNSもあって
周りの目を気にしがちですけれど、そん
なのは関係ない時代の、真のスタァな
んですよ。BOØWYは最高と言うのも
当たり前すぎですが、みんな聴
かないと！

7. 星野源／YELLOW DANCER

昔から、
SAKEROCKの時代から
好き。「ばかのうた」を初めて聴
いた時は控えめな印象でしたが、どの
曲も、その時の星野源の生き様がキレイ
に出ていて。挙げているのはアルバムで
すが、ポップという言葉を格好よく思
わせてくれる。ご結婚おめでとう
ございます♡

8. 東京事変／群青日和

実家の
近所のカフェで「俺が椎
名林檎を発掘したんだ」と言い
張る謎のおじさんがいて（笑）。話を
聞いてみたら、まだデビュー前の椎名
林檎さんが福岡の大学の文化祭で歌っ
て、あまりに格好よすぎて会場じゅう
が息を飲んだらしいです。そん
な逸話も納得です。

ゆうこす的
推しミュージック10

9. 折坂悠太／朝顔

声がす
ごく素敵なんですよ。昭
和のスタァみたいな、包み込ま
れるような、懐かしい気持ちになる
ような声。「ウイスキーが、お好きで
しょ」のカバーやドラマの「監察医 朝
顔」主題歌など、この声を聴いて
いるだけで優しい気持ちにな
れます。

10. ウルフルズ／ええねん

辛いこ
とがあったら聴いてしまう、
"歩く元気"のようなバンド。フェ
スがすごく好きなんですが、ロッキン
でウルフルズを見てめちゃ泣きました。出
てきた瞬間から会場の空気が変わって、
口から出る言葉ひとつひとつが心に刺
さる。すべてを引き寄せるスタァ
です。

ゆうこす的推しサロン10

SKIN

Clinic: **青山ヒフ科クリニック**

address: 東京都港区北青山3-12-9 花茂ビル3F

tel: 03-3499-1214 | *url:* https://aoyamahihuka.com

「先生がビタミンに詳しくて、ニキビができた時は必ずここで
注射してもらいます。先生の美容オタクぶりがすごくて、毛穴
がきゅんっとなる。2か月に1度くらいはエステも受けています」

BODY

salon: **ZARAHA BEAUTY**

address: 東京都渋谷区恵比寿南1-2-11
フォーシーズン恵比寿ビル3F

tel: 03-5725-0630 | *url:* https://zarahabeauty.com

「フェイシャルもありますが、私はボディのマッサージが特に好
き。腸のマッサージがめちゃめちゃ上手くて、ゴッドハンド揃
い。どなたに担当いただいても最高です」

SHAVING

salon: **レディスシェービングサロンfini**

address: 東京都渋谷区渋谷2-21-1 渋谷ヒカリエShinQs B1

tel: 0120-015-823 | *url:* https://www.fini-shaving.jp

「スチームで蒸して、マッサージで肌を柔らかくしてからシェー
ビング。肌の負担にならないし、うぶ毛だけでなく角質もとれる
から、つるん!とした肌になれます。常に新品の刃だから安心」

BODY

salon: **HERA skin&body beauty**

address: 東京都渋谷区恵比寿西1-7-13 スイングビル3F

tel: 03-6455-1757 | *url:* https://lit.link/hera41

「痩身フルカスタムのメニューで体に合わせてマシンを選んで
もらいます。効率的にいきたいので、ここでキャビテーション
を受けてから、代謝させるためサウナに行くのが好きです」

HAIR

salon: **Luxe**

address: 東京都港区南青山4-21-23 宮田ビルB1

tel: 03-5414-5588 | *url:* http://www.luxe-net.com/

「ディレクターの根本さんにお願いするようになって、スタイ
リングがぐっとラクになりました!ちょっとおくれ毛を作る、
顔まわりに短めの毛を作るといったディテールがお見事」

SKIN

Clinic: **R.O.クリニック**

address: 東京都渋谷区神宮前5-46-7
GEMS AOYAMA CROSS 2F

tel: 03-6427-1138 | *url:* https://ro-clinic.com

「大事な撮影の時、異次元レベルで肌をキレイにしたい時は、
気合いを入れてここでダーマペン施術を受けます。インスタで
告知されるキャンペーンを利用するとめっちゃリーズナブル」

※完全予約制

SPA

salon: **楽座や 渋谷店**

address: 東京都渋谷区道玄坂2-25-10 小田原屋ビル3F

tel: 03-5489-7300 | *url:* https://www.rakuzaya.com

「都内4店舗に手ぶらで行けて嬉しい!もともとすごい冷え性
なのですが、よもぎ蒸しやゲルマニウム温浴で汗をしっかり出
す習慣をつけたら体質が変わった実感があります」

GYM

salon: **BOSTY**

address: 東京都渋谷区恵比寿4-11-8 グランヌーノ201・202

tel: 03-6820-8766 | *url:* https://www.bosty.jp

「週に1、2回通っているパーソナルジムで、女性らしいキレイな
ラインを作れるところです。普段PCを使うことが多くて猫背に
なりがちなので、背中とお尻メインでトレーニングしています」

NAIL

salon: **ao.Shibuya**

address: 東京都渋谷区道玄坂1-22-12 和孝渋谷ビル8F

tel: 03-6416-1960 | *url:* https://www.nail-ao.com/shibuya

「手足のネイルを同時にやってくれるだけでなく、眉も整えて
くれる手軽さがありがたい。好みもわかってくれているので、
行く時はカラーやデザインはすべてお任せにしちゃいます」

HEALTH

Clinic: **クレアージュ東京 レディースドッククリニック**

address: 東京都千代田区有楽町1-7-1 有楽町電気ビル北館17F

tel: 0120-815-835 | *url:* https://www.creage.or.jp

「婦人科検診って面倒に思いがちですが、ここはテンションが
上がる。お洒落だし、ハーブティーやお菓子も出してくれて。
私の会社の女性スタッフは全員ここで検診を受けています」

週に1〜2回は、サロンやジムでメンテを

最近は、土・日曜に仕事の予定は何も入れないようにしています。
SNSの発信はプライベート感覚でしていますが、打ち合わせや編集作業は
絶対に入れない。そうやってできた空き時間に、プロの手を借りる
メンテナンスを詰め込みますね。技術が上手なところというのはもちろんですが、
私の場合、家や会社から近いのも大切な条件。移動時間ってもったいないでしょ？
行きつけサロンやクリニックが近所なら行きやすいから、休日に5件の予約を
入れたこともあるほど（笑）。遠くて面倒だからとさぼりがちになるより、
近くのサロンにこまめに足を運ぶほうが、大きなトラブルが出にくくなる。
それに、平日に思いっきり働けるからパフォーマンスが上がるのが嬉しいんです。

とはいえ忙しい時は、YouTubeが味方！

でも、土日にイベントが入ったりと、どうしてもサロンやジムに行けない時って
ありますよね。そういう時はお風呂時間を充実させたり、YouTubeで
エクササイズ動画を観たりしますね。特におすすめは、「のがちゃんねる」！
40分くらいのものもあるんですが、中には「3分でOK」なんてものもあるので
そういったものをいくつか保存してます。テレビを観ながらでも、ゆるーい部屋着でも
できるのはやっぱりありがたい。じっとしていられないタチなので、たとえば
お料理をしてて「15分煮込む」みたいなプロセスがあれば、そのスキにちょっと
エクササイズをこなしたり（笑）。隙間時間をうまく活用することで、肌もボディも
いい状態がキープできるようになって、ますます自分が好きになりました♡

プロの
メンテナンスと
手軽な
エクササイズを
上手に
使い分ける！

Yuko's way 03

ライフ
スタイル編

ゆ う こ す に 聞 い て み た！

Q.お気に入りの旅行先ってどこ?

A.鹿児島！

断然鹿児島ですね。そもそも、九州は何でもあって素晴らしい場所なので大好きなんです。中でも鹿児島は南に位置するので海が満喫できるし、魚介系がとにかく美味しい。黒豚や、最近では黒牛も有名になってきて、お肉も日本トップレベル。しかも海が美しい。与論島の百合ヶ浜では、こんなキレイな海を見たのは初めて！と思わされましたね。

Q.ゆうこす的NGワードってある?

A.「普通は」

人と話をしている時に「普通はこうじゃない?」と言われると「そうじゃない」と思ってしまうタイプなので、「普通は」とは絶対に言わないようにしています。「みんなこう思ってるよね」「普通はこうでしょ」と決めつけるのは簡単だけれど、実際にそうなのかわからないし、考えていないから出てきてしまう言葉だと思う。会話の中で「普通は」が出てこないように気をつけています。

Q.わんこのいる生活、どうですか?

A.帰宅すると天国です。
帰宅しなくても天国です

Q.人前で喋るのが苦手。
ゆうこすはどうして
そんなに上手いの?

A.場数！
発信を続ければ
緊張しなくなりますよ

Q.思わぬオフができたら、
何をして過ごす?

A.一瞬で予定を詰めちゃう自信あります！

意外と、スケジュールを詰め込んじゃうかな。家でぼーっとするのがそんなに好きではないので、めちゃめちゃ予定を詰めて出かけるか、家で鬼のように仕事をしてしまうかの二択ですね。急に空き時間ができても、ホットペッパーで探してエステに行こうとか、一瞬で予定を詰めるのは得意(笑)。もし急な空き時間に仕事をするなら、今あるタスクをこなすより、「これからやりたいこと」の資料を作ります。急なオフは、「何も予定がないからこそできる」というモードに入る絶好のチャンスですから。暇だなと思ったら何かやっちゃうタイプですね。

Chapter 4,

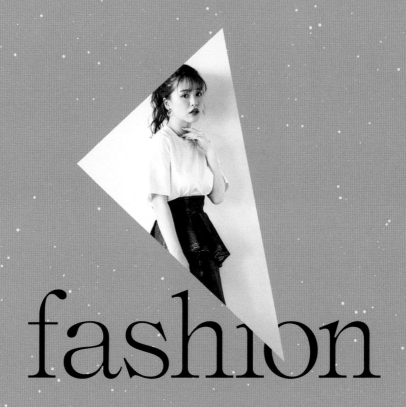

fashion

ここ数年で、自分でも驚くほど変わってきたのがファッション。"可愛いものが好き"という基本は同じだけれど、コーディネイトの仕方や合わせる小物によって、ぐっと垢抜けた印象に。年齢に合った、より洗練されたお洒落を楽しむコツを、私服もてんこ盛りでご紹介♡

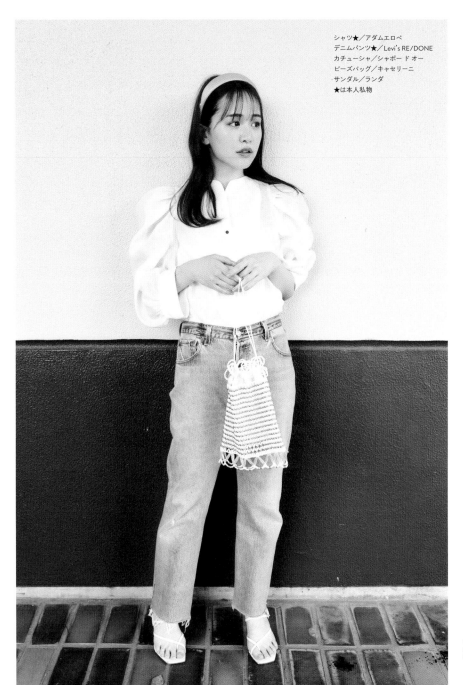

シャツ★／アダムエロペ
デニムパンツ★／Levi's RE/DONE
カチューシャ／シャポー ド オー
ビーズバッグ／キャセリーニ
サンダル／ランダ
★は本人私物

RULE: 01

まずは基礎練！ベーシックを使いこなそう

着回しのできるベーシックアイテムで、センスを磨く

たとえばざっくりとしたデニム。シンプルな白のTシャツ。あっさりした黒のパンツ…。誰もが持っていそうなベーシックなアイテムこそ着る人のセンスが問われるし、その人のセンスが出ると思います。若い頃ならちょっと奇抜なファッションやメイクを楽しんでもいいし、私もめいっぱい盛っているギャルだった時期があります(笑)。でも、大人になると似合わなくなるし、仕事やお付き合いなどいろんなシーンが出てきますよね。その時にベーシックなアイテムを上手に着回せる人ってすごくお洒落上手な印象になれます。

芸能の仕事をしていると「どれだけ派手で目立つか」がポイントになることもありますが、プライベートで選ぶ服はわりとシンプルが多めです。

この時に意識しているのは、ハイブランドもプチプラも選ぶこと。年齢を重ねたからとハイブランドばかりでは視野が狭くなってしまうし、予算だって限られている。かといって全身プチプラが可愛いのは10代までだと思うので、どちらもファッションに織り交ぜるようにしています。そのほうがお洒落に見えるし、どちらも見た上で取捨選択することで、センスを磨く練習になります。

年齢を重ねるのも、ファッションの幅が広がるので楽しいですよ。たとえば最近、ジャケットがすごく似合うようになってきたな、と思って嬉しかった。18歳の時は"着せられている感"があったジャンルも、どんどん自分のものにしていけます。まずはベーシックをたくさん着倒してみましょう。センスが磨かれ、自分らしさが出てきて、次第に垢抜けスタイルが身についてくるはず！

ゆうこすベーシック the ♥7 アイテム

1. プレーンな白Tシャツ

4. 切り替えつきワンピース

3. 柔らか素材の黒パンツ

2. 高めヒールの黒ブーツ

5. ライトカラーのジャケット

7. キレイめデニム

6. シンプルな白スニーカー

プライベートからお仕事シーンまで、
デイリーのお洒落で活躍している
私のベーシック7。
ガチで愛用している理由と
お気に入りポイントを解説しました。
この章のあちこちで着回しているので
スタイリングの参考にしてみて。

1. 白Tはオーラリーのもの。薄い素材だと下着っぽく見えるので、ちょっと高めでもハリ感のあるものを選びます。2. アクネのショートブーツはキレイめにもいけて季節を問わず活躍。スタイルよく見える高めヒールが好き。3. ボトムスを1本持つならまずは黒パン。かっちりお仕事っぽく見えますが、てろんとした素材だとカジュアルにもいけます。これはH BEAUTY&YOUTH。4. キャミワンピースは合わせるインナーによって印象が大きく変わるので着回し力大。ストンと下に落ちるとチープな印象になりがち。Missing You Alreadyのこれは切り替えがあって可愛いし、背中のあきもあるのでインナーのアレンジがしやすいです。5. かっちりしすぎないように、ライトカラーを選択。柔らか素材でコーディネイトしやすいBallseyのジャケット。パンツを合わせれば強く、花柄ワンピースなら可愛くなります。6. NIKEのエアマックスはかかとがしっかりしていて、スタイルアップして見えるので好き。7. Levi'sをRE/DONEがリメイクしたもの。似合うデニムは体型や脚の長さによって変わりますが、1本持つならストレートめで、あまりぴっちりしていないものがはいた時にキレイ。（すべて本人私物）

小物で遊ぶ。靴とバッグはパンチありが正解

RULE: 02

All ゆうこす私物、お気に入りのバッグと靴を大公開♡ a.ヌキテパのゴールドのかぎ針編みバッグ。ちょっとしたお出かけならお財布と携帯が入るこれくらいのミニバッグで十分。b.ピンクのビニール素材が可愛すぎる！と即決したHEY！Mrs ROSEのバッグ。ポーチもセットになっていて、アクセサリー感覚で楽しめます。c.ひと目惚れした、little sunny biteのバッグ。ころんとしたフォルムも、立体的な花柄もツボ♡ d.マルシェの帆布バッグは、ほつれもそのままの切りっぱなし感がお洒落。夏のカジュアルにこんな白のバッグを合わせると抜け感が。e.韓国で購入したbaebaeのも

服はリーズナブルに、
靴とバッグはちょいリッチに

ファッションに"お金のかけどころ"があるとすれば、私の場合は絶対に靴とバッグ！その次にジャケットなどのアウターでしょうか。もちろんすべてにお金をかけられたら理想的ですが、そういうわけにはいかない。であれば、靴とバッグの優先順位を高くします。というのも、小物は一番差が出るアイテムだから。特にレザーはクオリティが出てしまうので、いいものを選びます。服はユニクロやZARAなどファストファッションでもお洒落に見せられますが、靴やバッグは少しお金をかけたほうが垢抜けて見える。お手入れ

の。携帯すら入らない極小バッグ。もはや大きめネックレスのような存在感。f.イル ビゾンテのレザーバッグは、使いやすいサイズ感としっかりした作りが魅力。黒やブラウンも可愛いけれど、こんなニュアンスカラーをコーデに差し込むとお洒落印象UP。g.親指もぴたっとホールドされ、ガンガン歩けるLAURENCEのサンダル。白い靴も、どんな色の服とも合わせられるので何足か所有。h. SNIDEL。柔らかなベージュのレザーは、足元が軽やかに見えるので一年中履けます。ヒール太めで安定感もあり、仕 事で移動が多い日も一日ラク！ i.イタリアのLe Yucca'sのもの。黒や茶の靴は同系色としか合わせられないけれど、コンビになっているから装いを選ばず、デザインの遊びも出るお気に入り。j.ドリス・ヴァン・ノッテンのプラットフォームシューズ。厚底の靴で大人っぽい靴がなかなかなくて、これをようやく見つけました！ 脚長に見え、歩きやすいのでヘビロテ中。k.メッシュ素材のユニークなブーツはSNIDEL。真夏でも履ける通気性のよさ、派手なデザインではないけれど目を惹く素材の遊びが決め手。

して長く使う前提で、いいものを手に入れるほうが、結果としてオトクにもなります。

　ポイントは、無難でシンプルなものより、ちょっとユニークなものを選ぶこと。服がベーシックなら、小物はちょっと遊び心があるほうが、コーディネイトが一気に垢抜けます。

　上の写真は、すべて私物です。バッグはちょっとユニークなフォルムだったり変わった素材だったり、強めの色をあしらったり…一見合わせづらそうに見えるかもしれませんが、服がベーシックなので装いのいいアクセ ントになってくれます。

　靴は色はベーシックで、フォルムやあしらいにワンポイント主張があるものが多いですね。小物は自分の目にも飛び込んでくるから、ちょっとデザイン性が高かったり、個性あるものを持っているほうが気分も上がります。

　今まで無難なものを選んできた人なら、「この色が好き」「このディテールのレースが可愛い」など、自分の好みを意識してみるところから始めてみるといいと思います。そうやって選んだ小物を身につけていれば、お洒落がだんだん変わってくるはず。

RULE: 03 主役を決めたら、あとは頑張らない。抜け感が大切

全部を頑張るとなんだかダサくなってしまう

お洒落に見せたいからと頑張るとなんだかダサくなるのは、メイクでもファッションでも一緒。「今日はこれが主役！」というアイテムを1つ決めたら、ほかのアイテムはゆるっと抜く。全部を頑張ると、その人のお洒落さよりも「お洒落に見せたいんだな」という意図ばかりが目立ってしまう気がします。

たとえば右の写真では、シャイニーなスカートを絶対に主役にしたくて。この時にトップスもキレイめなものを選ぶと「今日はどこでお食事？」みたいになっちゃうんです。だからあえてゆるっとしたTシャツを合わせて、ついでに大ぶりのメガネもかけたりすると、ちょっとギークっぽい抜け感が生まれます。髪もラフにまとめて、そこにアクセサリーみたいなバッグを合わせれば、めちゃめちゃ可愛くないですか？

10代から20代初めまでは、抜け感の意味がよくわからなくて「一度に着る色は3つまで」くらいしか考えてなかった（笑）。でも次第に、主役はこれ、と1つに絞るほうがバランスがいいとわかってきました。

ボリューム感も全身でバランスを見ます。スカートがボリューミーならトップスはタイトに、とか、ぴたっとしたデニムをはくから上はゆるめにしようみたいな感じです。全身がゆったりしたシルエットだと、体型をカバーしている感が出てしまうので、どこかキュッとした部分があるように意識します。

何よりとにかく、たくさん着てみること！たくさん失敗して、あれこれ試して、だんだんお洒落がわかってきたなと思ったのは最近です。お店で試着して、自宅でも試してみると、自分に似合う色や垢抜けて見えるバランスが絶対にわかってきますよ。

トップス★／H BEAUTY&YOUTH
スカート★／styling
メガネ／ダブルラバーズ
バッグ★／ジルサンダー
サンダル／キャセリーニ
★は本人私物

シアーシャツ／シティショップ（スタイリスト私物）
タンクトップ／エモダ
サテンパンツ★／CASA FLINE
イヤリング／アネモネ
バッグ★／ヌキテパ
サンダル／エモダ
★は本人私物

透け感をうまく使えば、清潔感もフェロモンも自在デス

RULE: 04

シアーなシャツワンピは万能なまとめ役

つい買ってしまうのが、透け感のあるアイテム。たとえばボディラインがくっきり出る服も、透ける素材を重ねればエロくならないし、レイヤードでこなれ感も出せます。ばーんと肌を露出したセクシー系や、LAガールのようなヘルシーさも格好いいとは思うのですが、肌の露出を調整した、ちょっとリラックス感があるコーデのほうが最近のトレンドにも合う気がします。

左はそんなコーディネートの一例で、タンクトップだけだと生っぽいかな…と思ったので、透け感アイテムを羽織って肌の印象を調整しました。ちょっとハリ感のあるシフォン素材のシャツワンピースは、清潔感をもたせつつフェロモンを漂わせるのにぴったり。中に色ものを持ってくると、ぐっとお洒落感が出ます。柿色のパンツの渋さやミントカラーのインパクトがほどよく中和されて、ふわっと柔らかくまとまります。

ちなみに、私は肌がイエローベースなこともあって、こういったオレンジ系はファッションでもメイクでもよく選びます。自分の肌色に似合う色はこなれ感が出しやすいので、知っておいて損はないかも。もちろんカラー診断に縛られる必要はないけれど、迷った時に服やコスメを選びやすくなるし、自分に似合うものを探す時の目安になってくれます。

逆にあえて自分の肌トーンと違うものを選ぶのもアリ。肌トーンと違うカラーを身につけると、目立ったり華やかさが出ます。私も広告ビジュアルの撮影などでは、あえてブルーベースの色を着たりメイクで使ったりすることがありますよ。今日は主役になりたい、目立ちたい、という日に使えるテクニックです。

ざっくり×つるり。
キリッと×ゆるっと。
そんな組み合わせが
センスUPの秘訣

異素材レイヤードというと難しそうに聞こえるかもしれませんが、無意識にやっている人は多いはず。たとえばキリッとした白のシャツにざっくりしたデニムを合わせる。これだって立派な異素材レイヤード！　もしも白シャツにすっきりした黒のパンツを合わせたら、バリバリ仕事モードになってしまいますよね。もちろんその格好よさはあるのですが、そこまでカッチリする必要がない時はやっぱり"抜け感"が欲しい。違う素材を組み合わせることで、それがうまく表現できるんです。

下のコーディネイトで使っているサテンのパンツはお気に入りの1つ。ニットのざっくり感とサテンの柔らかさ、なめらかさは真逆のようにも思えますが、インナーの白シャツでつなぐことで、いい

モヘアニット★／H BEAUTY&YOUTH
ブラウス★／セレクトショップで購入
サテンパンツ★／Ballsey
ショルダーバッグ★／イル ビゾンテ
靴／トリート ユアセルフ
★は本人私物

こなれ感が出ます。メイクでツヤ質感とマット質感を組み合わせた
ほうがお洒落っぽくなるのと一緒で、こうやって異素材を組み合わ
せると、ぐっとコーディネイト上手に見えます。ちなみに、P.105の
シャイニー×ゆるっとも異素材コーデです。

　もちろんセットアップも好きで、着るだけでキマるところや、時
間がない時などにぱっと着られる便利さはセットアップならではの
魅力です。でもコーディネイトした時のお洒落感は出せないですよ
ね。なので、セットアップはミントやマスタードカラーのような遊
びカラーのものを選んだり、パンツだけ違うものにチェンジするな
ど、異素材や違う柄を組み合わせることもしばしば。そうやって考
えたり、あれこれ試せるのもファッションの楽しさ！

RULE:
05

異素材レイヤードは
〝こなれ感〟のモト ♥

あざとくなろう。
そう決めたら、垢抜けた

ジャケットは持っているとすごく重宝します。10代の頃は仕事で着ることなどがあると"着せられている"感があって、そんなに好きなアイテムではなかったんですが、トレンドも変わり、自分も年齢を重ねて20代半ばくらいになったら、意外に似合っていることにふと気づいたんです。

写真のように可愛いワンピースに合わせると、甘さがほどよくカバーされて大人っぽさがプラスされます。甘いテイストの服と辛口なジャケットの相性の良さに、これは使える！と思うようになりました。カッチリしたパンツやスカートに合わせればビシッとしたお仕事スタイルにもなるし、普段のカジュアルコーデにカーディガンがわりに羽織ってもサマになる。可愛いものが好きな大人女子には、ジャケットも1枚持っておくことをおすすめします。

RULE: 06

甘さを抑える天才、ジャケットに頼っちゃう

私のお気に入りは、写真のように明るいカラーのもの。季節にもよりますが、麻やコットンなどのカジュアルな素材のほうがコーディネイトしやすいですね。今は手頃なお値段で買えるブランドも増えてきましたが、仕事の場にも着ていくのであれば、ちゃんとお金をかけてもいいと思うアイテムです。アパレルのお仕事をした時に素材や縫製もずいぶん勉強したのですが、そういった差はやはり価格に出ます。そしてジャケットのようなアウターは、多少お金をかけたほうがいいもの。セレクトショップなどでしっかりしたものを買うのもおすすめです。UNITED ARROWSやBEAUTY&YOUTHあたり、あるいは環境に配慮しているCASA FLINEなども好き。手頃なところでは、ユニクロ Uも素材がよくていいものがあるのでチェックします。

ジャケット★／Ballsey
ワンピース★／CASA FLINE
バッグ／アコモデ
サンダル★／LAURENCE
イヤリング／アネモネ
★は本人私物

白Tと黒パンを着回せば、お洒落がもっと楽しく

ゆうこす的
1週間
コーデ

これを着回し！

ベースの7アイテムでも紹介したオーラリー。ハリがあってしなやかな質感で、シルエットがゆるすぎないので、キレイめもいけて万能！

セットアップの"はずし"はお任せ

抜け感を出すなら
まずは白Tで

　合わせるものによってがらりと表情を変えるのが、白Tのいいところ。たとえばセットアップのインナーに差し込めばカジュアルダウンできるし、ちょっと女度が高い服もさらっとこなせるスグレモノなんです。コーディネイトがカッチリしすぎている、なんだか印象が甘すぎる…そんな時は迷わず白Tの出番。ただし、素材や形によって印象が違うし、その人の体型によって合うデザインも変わるので、必ず試着を。いろいろ着てみると「襟のあきはこれぐらい」「厚めの素材がいいな」など、自分の好みが見えてくるはず。

きちんと感のセットアップに白Tの"ゆるさ"を加えて抜け感をプラス、シーンを選ばずこなれた印象に。ジャケット、ショートパンツ／ココ ディール、カチューシャ★／FUMIE TANAKA、ネックレス／アネモネ、バッグ★／ジルサンダー、ロングブーツ★／SNIDEL（★は本人私物）

white T-shirt 3 days ♥

甘すぎない秘密はチラ見え白T

タイトめスカートもカジュアルに

フリルつきのスカートは、デニム素材とはいえ女度
が高いアイテム。白Tを合わせることでリラックス
感が出て、デイリーのお洒落に。デニムスカート／
ノエラ、イヤリング／アネモネ、バッグ★／little
sunny bite、サンダル／R&E（★は本人私物）

ラブリーなフレアワンピース。面積は小さくても、カ
ジュアルな白Tがチラリと見えると全体の印象がほど
よい甘さに。ワンピース★／TOMORROWLAND、帽
子／キャセリーニ、バッグ★／マルシェ、サンダル★
／ドリス・ヴァン・ノッテン（★は本人私物）

ゆうこす的 1週間 コーデ カジュアルもきちんとも。 T.P.O.に合わせられる黒パンは

black pants 4 days ♥

色を差し込んでプレイフルに

優しげベージュ×黒で美人度UP

キレイ色のニットは黒のパンツだと引き締まり、スタイリッシュに。バッグや靴もブラックでお洒落上級者に。ニット★／styling、ハイネックインナー／チェルシー（スタイリスト私物）、イヤリング／アネモネ、ミニバッグ★／baebae、靴★／Le Yucca's（★は本人私物）

ベージュコーデをブラックパンツで引き締め。全身が淡い色だと印象がぼやけるけれど、黒を差し込むことで強い印象に。シャツ★／CABaN、キャミソール／ランダ、カチューシャ★／H BEAUTY&YOUTH、バッグ／エピヌ、ショートブーツ／スタイリスト私物（★は本人私物）

女子の味方!

これを着回し!

H BEAUTY&YOUTH の黒パンツ。黒パンツは週に1〜2回は登場するかも。可愛くも格好よくも、スタイリッシュも。お洒落の幅を広げてくれます。

モード派ならジレでスリムに

ラブリーな装いのスパイスに

ちょっとエッジィなムードが漂うジレとのコーデ。縦のラインが強調されて細見え、黒の正装感も加わってファッショナブル。ジレ★／BACCA、タンクトップ／リリアン カラット、ネックレス／ソムニウム、バッグ★／マルニ、サンダル★／ドリス・ヴァン・ノッテン（★は本人私物）

可愛いトップスやラブリーな小物に、黒のクールさでバランスよく。柔らかい生地の黒パンなら合わせやすい。全身が可愛いと垢抜け感が出ないので注意！ ニット／レディアゼル、バッグ／キャセリーニ、帽子／オーバーライド、靴★／Laurence Dacade（★は本人私物）

RU
LE:
07

揺れた
ときめ

顔まわりの印象を
一気に変えられるお宝、
それがアクセサリー！

プチプラ系も含め、アクセを幅広く集めています。
a.EDIT.FOR LULUで見つけたガラスプレートネッ
クレス。b.デザイン性の高いBijou R.Iのイヤリン
グ。アンティークっぽい色使いがお気に入り。c.セ
レクトショップで見つけてひと目惚れ（ブランド不
明）。d.イヤカフも好きでコレクション中。e.内側
にパールが位置するユニークなデザインリング。d.
e.共にSNIDEL。f.Bijou R.Iの波へアピン。g.ブラン
ドは不明のチョーカー。カジュアルコーデにプラス
すると一気に映える装いに。h.大好きなブランド
UPARAのもの。これは誕生日に彼氏から♡ i.ユ
ニークなデザインのEDIT.FOR LULUのリング。j.ハ
ンドクラフトっぽさが気に入っているTEN。

り光ったり。
くビジューはファッションの
スパイス

k. 淡水バロックパールとチェーンのネックレスは H BEAUTY & YOUTH で購入。l. FRAY I.D のピアスは、デイリーに使いやすい華奢さがポイント。顔まわりが華やかになるのでピアスやイヤリングは重宝。m. 繊細なデザインが今っぽくてお気に入りの gray。n. お花がレザーでお洒落なイヤリング。FUMIE TANAKA。o. ユニークなフォルムが気に入って即決した FRANCINE BRAMLI PARIS のイヤリング。p. 合わせる服を選ばない TEN. の小ぶりイヤリングはヘビロテ中。(すべて本人私物)

華奢でデザイン性が高い
アクセサリーは
デイリーに大活躍!

Yuko's way04

ゆうこすに 聞いてみた！

Q.買い物は いつも自分でするの？

A.はい！

普通に自分で行きますよ。リアル店舗に行って服や小物を見るのは大好き。私のマネージャーさんはお洒落なので、一緒に行くことも多いです。

Q.服が増えて困ってる。 ゆうこす的な 断捨離の方法は？

A.エコ発想でスペース活用

限られたスペースを活用する私の方法は2つ。1つはサマリーポケットを利用して、すぐ着ないものを預ける方法。たとえば浴衣やパーティ用の服など、普段着ないものは預けてしまい、家に置かないようにしています。そしてもう1つは、メルカリ。最近気づいたのですが、めちゃめちゃエコですよね。最近、環境に対する自分の意識が少し上がってきたので、不要になった服もムダにはしたくないなと思うようになって。といいつつ撮影してメルカリに上げて発送して…というのは面倒だと思っていたんですが、ダンボールに詰めて送ったら出品も販売も、発送も勝手に全部してくれるサービスがある。捨てるのは抵抗があっても、誰かが使ってくれるなら嬉しいし、しかもお金まで入ってくる。なんていいシステムなんだ！と感動しましたね。

Q.ファッションセンスを磨く おすすめの方法は？

A.実際に着てみる

本や雑誌を見るのもいいけれど、ことファッションに関しては「実際に着る」がとても大事！ 店舗に足を運んで試着しまくるのがおすすめです。店員さんはファッションのプロですから、いいなと思うアイテムがあったら、何を合わせたらいいか聞いてみるのはいいですよね。レイヤードが上手な人はお洒落だなと思っているので、「これに重ねるなら何がいいですか？」とよく聞いちゃう。そうやって質問していくと、趣味が合う、信頼できる店員さんが必ず見つかりますよ。

Q.下着ってどこで買ってますか？

A.アンフィ、ランジェリーク、ブラデリス

ワコールから生まれたアンフィは、機能が素晴らしいんですよ。デザインもロマンティックで可愛いものが多いので結構好きです。バストをコンパクトに見せたいとか、ノンワイヤーで盛りたいといった、いろんな需要に応えるものが充実してます。華奢なデザインでいえば、ランジェリークがすごく好き。海外のグラマラスボディっぽくしたい時は、ブラデリスもいいかな。ショップにミシンがあって、バストの形に合わせて縫い直してくれたりするので、補整下着みたいな感覚で使うことがあります。あの盛りっぷりはすごいです（笑）。

Chapter 5,

life style

仕事で無茶をしたり、やみくもにダイエットし
たりという悪循環を断ち切って手に入れたの
が、ヘルシーで心地いいボディ。私が大切にし
ている毎日のルーティンをご紹介します。

life style °1 食事・睡眠・運動。地味だけど

これが結局ダイエットに効く

——食べるのが怖い、生理が止まる。そんなダイエットは卒業！

私はもともと、太りやすい体質だと思います。身長163センチで、ピーク時の体重は55kg。体脂肪率は35！ ご飯、お肉、カルピスみたいな食卓で育ったので、アイドル時代もムチッとしていました。なんで私はほかの子より太ってるんだろう？と思ってダイエットしたら、太ったり痩せたりを繰り返した挙げ句、今度は42kgまで減。両手でウエストがつかめそうなくらい痩せてしまい、生理も止まっていたし"食べるのが怖い"という状況でメンタルもやられていたと思います。

その後、YouTubeを始めてから、少し体重が戻ったんです。同時期に会社を起業して、自分のキャパシティの限界を感じたことをきっかけに、メンタルをきちんと保ちたいなと思うようになり、そのためにも、ちゃんとした食事や運動、そして睡眠をしっかりとろうとライフスタイルを見直しました。そうやって生活の基本を整えると気持ちも整うし、肌もボディもすごくいい感じに。

すごくシンプルですが、肌も体も食べたものを材料に作られますから、食事はちゃんと摂らないとダメ。私も基本的には1日3回食べるし、糖質だって摂ります。あとで詳しく紹介しますが、コンビニご飯だって選び方に気をつけたり、ひと手間を加えれば、健康にも美容にもいいメニューになります。そして、睡眠はどんな高級美容液よりも肌にいい。週2回、パーソナルトレーニングにも通っています。ほどほどの運動で筋肉をつけるとボディも引き締まって見えるし、体重という数字に振り回されすぎることも減りました。今は無理せず47〜48kgをキープ。仕事のパフォーマンスも上がるし、メンタルも肌も体調も絶好調です♡

START!

00 minutes

頭皮にスカルプケアをつける

髪をざっと濡らしたら、まずはスカルプケアのアイテムを頭皮にオン。軽くマッサージしながら全体に広げる。

01 minutes

シャワーで全身流す

頭皮ケアはつけたまま、全身をさっとシャワーで流す。この時はボディソープは使わず、汗などの汚れを流すだけ。

11 minutes

髪にトリートメントをつける

ヘアトリートメントをつける。毛先や髪の表面は傷みやすいので念入りに。ダメージがある場合は重ねづけしてしっかり保湿。

09 minutes

上がってスカルプケアとクレンジングを流す

バスタブから上がり、髪と頭皮をシャワーで流す。1〜2分すすぎ、汚れやスタイリング剤を残さないまっさらな状態へ。

life style °2
バスタイムは30分！
分刻みの美容ルーティンを公開

12 minutes

再びバスタブへIN

トリートメントをつけたまま、もう一度バスタブへ。この時シャワーキャップやタオルで髪を包むと浸透しやすくなって◎。

16 minutes

バスタブでゆるマッサージ

バスタブの中で軽くストレッチ＆マッサージ（P.126〜127参照）。コリや疲れはその日のうちにとるのがマイルール。

FINISH!

30 minutes

お風呂タイム終了

髪、体、顔を即オイルケア。吸水力の高いタオルで髪を包み、その後全身をケア。お手入れが終わる頃には髪の水分もだいぶとれてドライヤー時間も短縮。

29 minutes

かる〜く洗顔

最後に洗顔。クレンジングが丁寧なら洗顔は最低限でOK。泡が出るタイプの洗顔料で、優しく刺激レスで手早く洗う。

バスタブにINして
頭皮マッサージ

バスタブで温まって、リラックス。睡眠も深くするのが目的だから、浸かる時間は極力長く。頭皮マッサージもこの時に。

バスタブで
クレンジング開始

バスタブに浸かったままメイク落とし。手を拭いて、クレンジングをなじませる。メイクも浮いているので落としやすい！

お風呂はキレイになるだけでなく、温まって疲れをとり、眠りまで深くなる絶好の美容タイム。30分で欲張りすぎ！なくらい計算ずくのルーティンを実況中継！

髪を流す&全身洗う

全身ポカポカになってじんわり汗が出たら、お風呂から上がるタイミング。髪を流し、ボディソープで全身も洗ってスッキリ。

b プチプラ

a

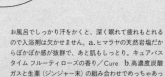

お風呂でしっかり汗をかくと、深く眠れて疲れもとれるので入浴剤は欠かせません。a.ヒマラヤの天然岩塩だからぽかぽか感が抜群で、あと肌もしっとり。キュアバスタイム フルーティローズの香り／Cure b.高濃度炭酸ガスと生薬（ジンジャー末）の組み合わせでめっちゃあたたまる、私の定番。きき湯ファインヒート スマートモデル ホットシトラスの香り（医薬部外品）／バスクリン

どちらも長年愛用している、手放せない逸品！

life style °3
明日のワタシにエール！
ほぐし in バスタブ

バスタブに浸かっている間に体をほぐし、その日の疲れをきちんと解消！
短い時間で効果てきめんな、ゆうこすルーティンのマッサージ＆ストレッチをご紹介。

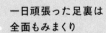

足首回しで疲れをケア
内回し10回、外回し10回

手と足で握手をするように指を組んで回すと、靴の中でこわばっていた指の間が開き、動きが悪くなっていた足首が柔らかく整って、むくみも解消。立ちっぱなしの日は必ず実行！

1. 一日頑張った足裏は全面もみまくり

バスタブの中であぐらの状態になって、疲れた足裏をモミモミ。特にヒールを履いた日は、1日頑張って硬くなった足裏をしっかりほぐします。両手の親指で、ちょっぴり痛気持ちいいくらいに圧をかけると疲れがとれて翌日も快適。

2. 足首からひざへむくみを流す！

こぶしを握り、足首からひざ横まですうっと流し上げる。すねの骨の際に、第2関節の骨をぐっと入れ込むようにすると効果的。片脚3〜5回程度が目安。むくんでいる時、一日歩いて脚が張っている時には特におすすめ。

126

指先を
下にすると、
肩甲骨に効く!

3.

5.

ぐりぐり

ほぐ
ほぐ

4.

3. 鎖骨プッシュで
美人なデコルテに

こぶしを握り、第1関節と第2関節の
間の面で鎖骨下をプッシュ。鎖骨はリ
ンパ管=肌の下水道が集中するエリア
なので、老廃物がたまりがち。ぐっと
押して排出を促して、埋もれた鎖骨が
出ると骨っぽい美人デコルテに。

4. スマホ時代の必修。
肩甲骨エクササイズ

スマホやPCを見ていると、すぐに猫背
&前肩になりがち。腕を前に伸ばし、
手首を上に、指を下にする。そのまま
ひじを後ろにひくと、肩甲骨まわりの
筋肉が動いて肩コリ解消に。10回程度
行うだけでも姿勢がよくなる実感が。

5. 肩コリよさらば!
ぐぐっと指入れほぐし

人差し指から小指までの4指で、逆側
の肩甲骨の際を圧をかけながらほぐ
す。指をぐっと入れ込んで、痛気持ち
いいくらいの圧で行うこと。片側30秒
を目安に。無頓着になりがちな肩に意
識が向き、猫背予防になる効果も。

life style ⁴

ご飯は美容投資。
簡単＆ヘルシーな

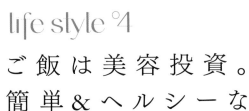

1. 卵とブロッコリーのサラダ

材料（2人分）：ブロッコリー1/2株 ゆで卵 2個 カシューナッツ1つかみ マヨネーズ大さじ1 こしょう少々
作り方：ゆで卵を作る。途中で小房に分けたブロッコリーも一緒にゆでる。ゆで卵をつぶしながらすべての材料と混ぜる。

2. モッツァレラとすいかのサラダ

材料（2人分）：すいか1切れ モッツァレラチーズ1/2個 オリーブオイル、塩、こしょう各少々
作り方：すいかとモッツァレラチーズを一口大に切る。オリーブオイルで和え、塩・こしょうで味をととのえる。

3. ささみの梅風味焼き

材料（2人分）：ささみ2本 カイワレ少々 アップル梅（P.133）1粒 白だし小さじ1 塩少々 片栗粉適量
作り方：ささみをそぎ切りにし、片栗粉をまぶしてサラダ油（分量外）をひいたフライパンで焼く。白だしと塩少々をかけ、つぶした梅も混ぜて出来上がり。

4. タコのお刺身

これは買ってきたそのまま。しそや梅、ごまなどを添えて味に変化を出すと手作り感UP。

5. オートミール

材料（1人分）：オートミール30g 水180㎖
作り方：耐熱容器にオートミールと水を入れ、混ぜて電子レンジにかける（500Wで1分50秒目安）。すりごまをかけると香ばしくて美味しい。

6. 冷奴

材料（2人分）：絹豆腐1/2丁 味付けのり（P.133）、だし醤油（P.133）少々
作り方：豆腐を器にのせ、だし醤油とのりをかける。ねぎやミョウガをのせても美味。

7. 余り野菜のお味噌汁

味噌汁はキノコや玉ねぎなど、冷蔵庫の余り野菜を具材に。冷蔵庫の掃除にもなり、野菜を多く摂れるヘルシーレシピ。

15分で7品！
超クイックな美味ディナー

　副菜が多いと大変そうに見えるけれど、そのまま食べられる食材を加えて15分で作った食卓。「茹でる、焼く、それにレンチンが基本。余り時間でちょっと混ぜる、出すだけの冷菜を作れば、すぐにできます。レンジで作れるオートミールは手軽なので、ご飯の代わりによく食べますね。盛りつけやお皿にこだわると満足感もUP！」

ゆうこすメシ

8. 海老のだし醤油炒め

材料（2人分）：海老100g カシューナッツ、糸唐辛子、だし醤油（P.133）、塩、こしょう各少々 片栗粉適量
作り方：海老の殻をむいて背わたを取り、片栗粉をつける。ごま油（分量外）で炒め、塩・こしょうとだし醤油で味をととのえる。カシューナッツと糸唐辛子を添える。

9. お手軽スムージー

作り方：今回は小松菜、オレンジ、バナナで作成。すべての材料を一口大に切ってブレンダーにかける。「葉野菜1：柑橘1：甘い果物1の割合で作ると美味しいです。プロテインを入れればタンパク質も摂れます」

10. 太らない満足粥

材料（1人分）：市販の小豆粥1/2パック 卵1個 味付のり（P.133）、だし醤油（P.133）、塩各少々
作り方：小豆粥を鍋に入れ、水を1カップ加えて温める。卵を入れて混ぜ、だし醤油少々で味をととのえ味付のりを散らす。

市販品を活用すれば
満足ご飯まであっという間！

　ダイエットしなくちゃという時も、食事を抜くことはほぼないですね。たとえば、太りにくくて栄養価も高い海老を使ったり（8）、スムージー（9）を間食代わりにしたり。カリウムやカルシウム豊富なおかひじきを使うことも多いです。市販の小豆粥をかさ増ししたレシピ（10）は、タンパク質も摂れるし満足感があるので、深夜メシに。

life style °5 コンビニも惣菜も活用！

しっかり食べてキレイになる。
自炊は女子の身を助く！

　この食卓は、市販品も組み合わせつつ15分で完成。「さばを焼いている間にトマトとアボカドを切って、ご飯をチンして…と手順を考えればあっという間。魚に添える大根をおろすのが面倒だから、アップル梅（P.133）で代用して効率よく美味しく！ 買ってきたお惣菜にごまなどをかけて手作り感を出すのもおすすめ」

1. イカと昆布の和え物

材料（2人分）：刺身用イカ200ｇ きざみ昆布少々 醤油小さじ2 生姜チューブ1cm
作り方：細く切ったイカにきざみ昆布を加え、醤油と生姜を加えて混ぜる。

2. トマトとチーズのサラダ

材料（2人分）：トマト1個 アボカド1個 カッテージチーズ大さじ3
Ａ［オリーブオイル、塩、バルサミコ酢各適量］
作り方：トマトとアボカドをひと口大に切り、ボウルに入れ、Ａで和える。盛り付ける時にカッテージチーズをかける。

3. 子持ち昆布

市販品。そのまま食べられる子持ち昆布ともずくは冷蔵庫の常備品。

ひと手間でヘルシーご飯に

8. チキンサラダ

材料（2人分）：タコスミート1袋 サラダチキン1パック ゆで卵1/2個（以上セブン-イレブンのもの）アボカド1/2個 糸唐辛子少々

作り方：サラダチキンを手で軽くほぐし、小さく切ったアボカドとタコスミートを混ぜ、ゆで卵と糸唐辛子をのせる。

9. 美肌ラーメン

材料（1人分）：とうふそうめん2袋 焼きとうもろこし1/2袋 半熟煮卵1個（以上セブン-イレブンのもの）刻みねぎ、カイワレ各少々 スープ［にんにくチューブ、生姜チューブ各少々 コチュジャン、シャンタンチューブ各小さじ1/2 味噌小さじ1］

作り方：フライパンににんにくと生姜、コチュジャンを入れて炒め、香りが立ったらシャンタンを入れる。お湯を400mℓほど加え、味噌をといてそうめんを入れ、半熟煮卵、ねぎ、焼きとうもろこし、カイワレをのせて出来上がり。あればバターをひとかけ入れるとコクが出て満足感アップ。

人呼んで「セブンの天才」。
コンビニものもごちそうデス

「週に3回はセブン-イレブンの食材でご飯してると言っても過言ではないかも。チンするだけの水炊き鍋に冷奴と温泉卵、カイワレをのせれば手作り感が出るし、冷奴にめかぶと梅干しをのせれば美味しい！」と、コンビニを上手に活用。「お惣菜はパックのまま食べると寂しいのでひと手間加えます。栄養バランスもよくなるし、腹持ちもよくなり大満足♡」

4. 寝かせ玄米

これも市販品（「結わえる」の寝かせ玄米®ごはんパック）を温めただけ。噛みごたえがあって美味しく、満腹感が出るお気に入りです。

5. おぼろ豆腐奴

材料（2人分）：おぼろ豆腐1/2丁 刻みねぎ、すりごま、だし醤油（P.133）各少々

作り方：豆腐を器に盛り、ねぎとすりごま、だし醤油をかける。ねぎは切って保存袋に入れ冷凍保存すると便利。

6. もずく酢

こちらも市販品。器に盛り、すりごまをたっぷりかけて手作り風に。買ったお惣菜でも、お気に入りの器に盛る、ごまをかけるなどひと手間加えるのがゆうこ流。満足感がアップしダイエット的にも◎。

7. さばの塩焼き

材料（1人分）：さば1切れ アップル梅1粒

作り方：フライパンに魚焼き用アルミホイルを敷き、皮目を下にして4〜5分焼く。焼き色がついたら裏面も同様に焼く。アップル梅（P.133）を添えていただく。大根おろしがなくても、梅でさっぱり！

life style °6

なんでもおいしくなる 優秀調味料とお道具

毎日愛用中♡スチーマー&ブレンダー

a

b

パパっと作れる、
味が決まるアイテムは
キッチンの必需品

　料理が得意なほう（調理師専門学校にも通いました！）ですが、普段の食事は優秀なお道具やパッと使える調味料を駆使し、時間も手間もかけずにこなしています。そんなゆうこすクッキングを支える優秀お道具や調味料はこちら。簡単で、美味しくて、しかもヘルシーな食を作る、頼もしい相棒です。

a.面倒な野菜のみじん切りも数秒でOK。ラッセルホブス 4ブレードミニチョッパー7820JP／大石アンドアソシエイツ　b.野菜をパッと蒸したりするのはやっぱり電子レンジが手軽。スチール芯入りで強度がありつつ、ためるシリコンスチーマーが活躍。グラン オーバル M／メトレフランセ　c.味にも機能にもこだわって開発したプロテインは自分でも愛飲しています。抹茶、ミルクティー、ピーチの3種。1袋で12gのタンパク質をチャージできます。ラプロテイン ゆうこすプロデュース プロテイン／Beautydoors　d.紀州南高梅をりんご果汁に漬け込んだまろやか味が病みつき！甘みと酸味が欲しい料理の調味料としても活躍します。アップル梅／一冨士　e.サラダに、スープに、麺類にとふりかけ感覚で使える味付のり。永井韓国味付ジャパンのり／永井海苔　f.これ1つで味がととのう調味酢。季節の野菜をこれで漬けた甘酢漬けは冷蔵庫の常連。す漬一発　g.煮物もすき焼きも1本で味がキマる便利な和風調味料。香味煮付／（f、gともに）ジョーキュウ h.お醤油感覚で使え、旨味とコクもプラス。これでお刺身をいただいても美味。プラス糀 生しょうゆ糀／マルコメ　i.煮物や麺類、冷奴、お浸しなどマルチに使える、一番だしを加えたお醤油。だし醤油／鎌田醤油

132

ひと手間で美味に！キッチンのお供

味がぴたりとキマる、ヘビロテ調味料

YUKO's recipe

1 梅風味の卵粥　材料（1人分）：市販の
お粥1パック　温泉卵各1個　アップル梅
（d）1粒　ごま油少々
作り方：お粥を温め、温泉卵とアップル
梅を入れる。ごま油を加えて風味を出す。

2 トマトすき焼き　材料（4人分）：トマ
ト4個　玉ねぎ1個　牛肩ロース薄切り
300g　豆腐1丁　長ねぎ2本　白滝200g
えのき1パック　春菊100g　白菜1/4個
卵4個
作り方：くし切りにしたトマトと玉ねぎ
を鍋に入れ、香味煮付をぐるっとひと回
しして煮る。玉ねぎが柔らかくなったら
肉、ざく切りした野菜、白滝、豆腐を入
れて火を通し、卵をからめていただく。
煮詰まったらお湯を足して調整する。

—— 睡眠はスキンケア。だから
やばいくらい寝てます！

life style °7

忙しいのは確かですが、ゆうこす、やばいくらい
に寝ています（笑）。毎日8〜9時間くらい。夜遅く
まで予定が入っている日は、翌朝のスタートを遅く
して、睡眠時間を死守しています。そのためには、
遅く帰る日にはグダグダ過ごさないとか、夜のケア
は最低限にするとか、めちゃめちゃ気を使ってます
よ。それくらいに、睡眠は大切！

もともとは超夜型で、帰宅してからもダラダラ
過ごしてたんです。ずっと不眠症で、仕事や会社
への不安からスマホを見続けたり、睡眠薬を飲ん
だりした時期もありました。でも起業して体が資本
だなと思ったし、決断を下すのが仕事になったの
でメンタルがブレていたらできないなと思って。睡
眠を削って頑張って努力する姿も格好いいけれど、
私はそれで1日2日は頑張れても、ずっと続けるの
は無理。とにかく寝ようと、睡眠を確保するため
にいろんなものを削りました。

たとえばP.55でご紹介したオイル1本でのケアも
その1つで、本当に忙しい時には30秒でスキンケ
アを終わらせます。P.124で紹介したバスタイムの
美容ルーティンも、めちゃくちゃ時短です（なのに
いろんなケアを詰め込んでます）。こういうちょっ
としたことも積み重ねると大きな差になります。

仕事も、以前は全部自分でやらないと気が済ま
なかったのですが、自分のこだわりを言語化して
伝えて、少しずつ人に委ねるようにめっちゃ努力し
ました。

そういった積み重ねのおかげで睡眠時間を確保
できるようになって、肌もキレイになったし、太り
にくくなったし、毎日すごく快適。

まずは寝ること、これに尽きます！

Tシャツ、ショートパンツ／レブュー

さよなら、不眠症の私。
「眠ってキレイ」が今の基本！

life style °8

深睡眠のための「あざといベッドルーム」テク教えます

ベッドサイドに、安眠を支えるアイテムたちを常備。ベッドに入ってから一通りのケアをしてそのまま眠ります。**a.**通気性が高い特殊素材で、脳の深部体温が下がって深い眠りに入れるハイテク枕。こういうのにこだわるのも好きなんです。ブレインスリープピロー／ブレインスリープ **b.**手荒れが一発で落ち着きます。つけた後は正直ベタつくのですが、寝る前に使うとスマホを触るのも防げて一石二鳥なので、夜専用として常備。ニュートロジーナ インテンスリペア ハンドクリーム／ジョンソン・エンド・ジョンソン **c.**パックのようなシールド感。皮が剥けやすい敏感肌でも安心です。キュレル リップケア バーム（医薬部外品）／花王 **d・e・f.**ぐっすり眠るためには香りも大切な要素。3種の精油をベッドサイドに常備して、枕元に漂わせるのがお約束です。好きな香りをベッドルームに香らせると、その香りで眠りスイッチが入りやすくなるそうですよ。エッセンシャルオイル ゼラニウム、フランキンセンス、ベルガモット／エンハーブ

眠る前にインナーケア。
ベッドサイドの常連はこちら

　めんどくさがりなので、サプリは"いかに続けやすくするか"が課題。だからベッドサイドに置いて、寝る前にさっと飲めるように。そうやって工夫することで習慣化し、忘れず飲めるようになりました。マッサージやストレッチはお風呂で済ませているので、ベッドでは寝るだけ。帰宅して1時間以内に眠る、を毎日心がけています。

2年前からPMS予防にピルを飲んでます。きっかけは、SNSでフォロワーに相談したこと。「私はピルを飲むようになってすごくラクになった!」という声がたくさん届き、ファンに背中を押された形でスタート。個人差はあるようですが、私は飲んですぐに効果を実感できました。服用を忘れないために習慣化できるベッドサイドにスタンバイ。

キレイは内側から育つから、
サプリやお薬も上手に活用

　サプリはこの2つのほか、肌状態によっては青山ヒフ科クリニック（P.94）で処方されるビタミンやミネラルをプラスすることもあります。お風呂上がりはデジタルデトックスし、手元や唇を保湿してぱっとサプリを飲んだらすぐにお休みなさ〜い!

a.肌の水分を逃がしにくくする働きが認められ、"飲むセラミド"と愛用している人もいるトクホ。水なしでもOKなお手軽パウダーで美味しいところもお気に入りです。オルビス ディフェンセラ／オルビス　b.ちょっと高いですが、ビタミンCの吸収率に徹底的にこだわったサプリ。排出されやすいというビタミンCの難点をリポソーム化することで克服し、美容や健康にこだわる人の間で人気です。リポ・カプセル ビタミンC／スピック

お手頃

a　b

"動線を作る"が、ベッドまわりのコツ!

サプリ摂取を忘れがちな自分の性格をよく知っているからこそ、「つい手にとる」工夫が。ベッドサイドにサプリやクリーム、それにサプリの包装を捨てるゴミ箱まで完備して夜のケアが一瞬で終わる仕組み。生活のすみずみまであざと整えるから、ストレスなく続けられています。

ホルモンのこと、病気のこと。
考えるのは当たり前！

life style ∘9

「ピルを飲んでる」っていうと驚かれることもあります。私もつい2年前まで「ピルは避妊のためのもの」「性に奔放な子が飲むもの」みたいなイメージを持っていました。特に私の場合は地方出身だから、女性の体に関すること、生理に関することは秘めごとみたいなムードもあったんですよ。でも、実際にピルを飲んでみたらPMSが驚くほど軽くなって。たまたま最初に試したピルが私に合っていたことも大きいと思います。それをきっかけに、こんなに便利なものを知るきっかけがない、知

識がないって問題だとも思いました。だから、私が紹介することでそんな知識を得るきっかけになったら嬉しい！

すごく不順だった生理周期が安定したし、飲む前とはメンタルの安定度が全然違います。以前は生理前って病気かな？と思うくらいにPMSによる体調の落ち込みが激しかったのに、今はまったく問題がない。フォロワーさんたちに相談してよかった！　みんなありがとう！という気持ちでいっぱいです。

PMSや生理痛、生理不順は我慢すべきものじゃない。辛ければ病院で相談すればいいし、軽くする方法はたくさんある。しかも、病気の予防にもなる。全員がピルを飲むべきとは思わないけれど、知識はちゃんと持っておいたほうがいいですよね。そんなきっかけから体のことを考えるようになって、子宮頸がん予防のHPVワクチンも打ちました。お洒落な婦人科（P.94でご紹介している「クレアージュ東京」）で定期チェックをしているし、自分の会社の福利厚生にも組み込んで、女性スタッフはみんな気軽に行けるようにしたのが自慢です！　今はミレーナ（※）を入れようか検討中です。これからもフォロワーさんと一緒に、女性のキレイもお洒落も、体のことも真剣に考えて、みんなでもっとハッピーになりたいなと思ってます♡

※子宮内に装着する避妊リング。生理痛の緩和や、月経困難症の治療にも利用されている

―― PMSや生理について、知識を持っておきたい

epilogue :

読んでくれてありがとう♥

　最後までお読みくださってありがとうございました。
　SNSで基本的に活動しているので、こうして本を通してみなさんと繋がれることを本当に嬉しく思っています。
「最近垢抜けたね！」と言われることが多くなり、今回"垢抜け"をテーマにした本を作らせていただくことになったのですが、改めて私なりに垢抜けとはなんなのか。と考え直しました。
　垢抜けとは、メイクだけじゃない。ダイエットだけじゃない。見た目もそうだけど、自分自身をどれだけ愛してあげられて、大事にできるか。そのための努力ができるかどうかだなと思いました。その想いがみなさんにも伝わっていたら嬉しいなと思っています。
　私は、今はとても自分のことが大好きです。周りがどう言おうと、努力してるんだもん。自己肯定感はマックスです！笑
　そんな風に考えられるようになってきた時、体がフッと軽くなった気がして。自然に笑えた気がして。もちろん一気に変わったわけではないですが、少しずつ人生が楽しくなっていきました。
　しかし本にも書きましたが、頑張りすぎて辛かった時期もありました。
　なのでみなさんには、ぜひ！楽しみながらしなやかに。時には肩の力を抜きながら、自分のことを愛する"垢抜け"を行ってほしいと心から願っています。
　また引き続き、SNSでもお会いしましょうね♡
　ぜひ #最近自分の見た目が好きすぎるかも #ゆうこすスタイルブック などでツイートしてもらえたら…！　すぐにいいね！しにいきますね！笑

　それでは、手に取っていただいて本当にありがとうございました。
　みなさんを愛してます！あいらぶゆー！♡

　　　　　　　　　　　　　　　　　　　　　　　ゆうこす

これからもあざといモテを頑張ります！

ゆうこす

SHOP LIST

Beautydoors ···················· ✉ laprotein@beautydoors.jp
Clue ······························· ☎ 03-5643-3551
COSME Re:MAKE（株式会社韓国高麗人参社）
　　　　　　　　　　　　　　　 ☎ 03-6279-3606
Cure ······························· ☎ 0120-111-344
I-ne ······························· ☎ 0120-333-476
KISSME（伊勢半） ···················· ☎ 03-3262-3123
KYU ······························· ☎ 03-5456-5353
m.m.m（ハーブラボ） ···················· ☎ 0120-532-727
Nuzzle ······························· ☎ 0120-916-852
RMK Division ······················· ☎ 0120-988-271
SHIGETA PARIS ····················· 🌐 https://shigetajapan.com/
SUQQU ······························· ☎ 0120-988-761
T-Garden ··························· ☎ 0120-1123-04
THREE ······························· ☎ 0120-898-003
アクセーヌ ··························· ☎ 0120-120783
アコモデ ルミネエスト新宿店 ·········· ☎ 03-5925-8278
アディクション ビューティ ·········· ☎ 0120-586-683
アルビオン ··························· ☎ 0120-114-225
アルファネット ····················· ☎ 03-6427-8177
アルペンローゼ ····················· ☎ 0120-887-572
イー・エム表参道店 ··················· ☎ 03-5785-0760
一冨士 ······························· ☎ 050-3775-1036
井田ラボラトリーズ ··················· ☎ 0120-44-1184
イミュ ······························· ☎ 0120-371367
インターナショナルコスメティックス（Dr.ハウシュカ）
　　　　　　　　　　　　　　　 ☎ 03-5833-7022
エスティ ローダー ··················· ☎ 0570-003-770
エトヴォス ··························· ☎ 0120-0477-80
エピヌ ······························· ✉ epine.am@gmail.com
エムケースクエア（マノン） ·········· ☎ 06-6534-1177
エモダ ルミネエスト新宿店 ············ ☎ 03-3355-1560
エンハーブ ··························· 🌐 https://www.enherb.jp/
大石アンドアソシエイツ ·············· ☎ 03-5333-4447
オーバーライド神宮前店 ·············· ☎ 03-6433-5535
オムニゴッド北堀江 ··················· ☎ 06-6543-0625
オルビス ··························· ☎ 0120-010-010
ガールズソサエティ ··················· 🌐 thegirlssociety.net
花王（キュレル） ····················· ☎ 0120-165-698
花王（生活者コミュニケーションセンター） ·· ☎ 0120-165-692
鎌田醤油 ··························· ☎ 0120-46-0306
かならぼ ··························· ☎ 0120-91-3836
カラーズ ··························· ☎ 050-2018-2557
キャセリーニ ······················· ☎ 03-3475-0225
コージー本舗 ······················· ☎ 03-3842-0226
コーセー ··························· ☎ 0120-526-311
コーセーマルホファーマ ·············· ☎ 0120-008-873
ゴールディ ··························· ☎ 03-6447-4180
ココ ディール ······················· ☎ 04-4578-3421

コスメキッチン（株式会社マッシュビューティーラボ）
　　　　　　　　　　　　　　　 ☎ 03-5774-5565
コスメテックスローランド ············ ☎ 0120-91-1213
コスメデコルテ ····················· ☎ 0120-763-325
サンポークリエイト（アネモネ） ·········· ☎ 082-248-6226
シービージャパン ··················· ☎ 0120-934-699
シャボード オー 東急プラザ銀座店 ········ ☎ 03-6280-6576
シュウ ウエムラ ····················· ☎ 0120-694-666
ジョンソン・エンド・ジョンソン ·········· ☎ 0120-101110
ジョンマスターオーガニック ············ ☎ 0120-207-217
スーパーサンクス（ジャジャーン） ·········· ☎ 03-6804-5596
スタイルナンダ 原宿店 ················· ☎ 03-6721-1612
スナイデル ビューティ ················· ☎ 03-3261-9968
スピック ··························· ☎ 0120-663-337
セルヴォーク（株式会社マッシュビューティーラボ）
　　　　　　　　　　　　　　　 ☎ 03-3261-2892
ソムニウム ··························· ☎ 03-3614-1102
第一三共ヘルスケア ··················· ☎ 0120-337-336
タカミ ······························· ☎ 0120-291-714
ダブルラバーズ（スクリーンショット） ········ 🌐 screenshot-global.com
デイシー ルミネ新宿店（デイシー、ミークチュール）
　　　　　　　　　　　　　　　 ☎ 03-6457-7042
トーン（株式会社マッシュビューティーラボ） ···· ☎ 03-5774-5565
常盤薬品工業（ノブ） ··················· ☎ 0120-351-134
永井海苔 ··························· ☎ 0120-32-1122
ネイチャーズウェイ（チャントアチャーム） ······ ☎ 0120-070153
ネイチャーズウェイ（ナチュラグラッセ） ········ ☎ 0120-060802
ノエラ ······························· ☎ 03-6450-3044
ハーバー ··························· ☎ 0120-82-8080
バスクリン ··························· ☎ 0120-39-8496
パナソニック ······················· ☎ 0120-878-697
ファミュ（アリエルトレーディング） ·········· ☎ 0120-201-790
フェヴリナ ··························· ☎ 0120-117-005
ブレインスリーブ ··················· ☎ 0120-088-885
ポール＆ジョー ボーテ ················· ☎ 0120-766-996
マルコメ ··························· ☎ 0120-85-5420
ミルボン ··························· ☎ 0120-658-894
メイベリン ニューヨーク ·············· ☎ 03-6911-8585
メトレフランセ ····················· ☎ 0120-538-088
モロッカンオイル ジャパン ············ ☎ 0120-440-237
ラコステお客様センター ·············· ☎ 0120-37-0202
ラッシュ ··························· 🌐 support@lush.co.jp
ランダ ······························· ☎ 06-6451-1248
無印良品 銀座 ······················· ☎ 03-3538-1311
リリアン カラット ··················· ☎ 03-4578-3338
レインボーシェイクプレスルーム（トリート ユアセルフ）
　　　　　　　　　　　　　　　 ☎ 03-6778-0920
レディアゼル ルミネエスト新宿店 ········ ☎ 03-3354-3122
レブユー ··························· 🌐 www.reveyu.jp
ロート製薬 ··························· ☎ 06-6758-1230

ゆうこす

（菅本裕子・すがもとゆうこ）
1994年、福岡県生まれ。「モテクリエイター」として、
SNSを中心にタレント、インフルエンサーとして活躍中。
スキンケアブランド「YOAN」の立ち上げや、
ライバー事務所「321」のファウンダー、
アパレルブランド「REVEYU」、
カラーコンタクト「chu's me」のプロデュースなど、
多岐に渡り事業を展開。
その他、著書に『#ライブ配信の教科書』など。
SNSの総フォロワー数は190万人以上。

STAFF

Art Direction
松浦周作［mashroom design］

Book Design
前田友紀・神尾瑠璃子・田口ひかり［mashroom design］

Photo
北浦敦子
Cover、P3-5、P10-24、P46、P57、P75、P79、P86左、
P87下、P95、P98、P105-P111、P118-119、P121-125（人物）、P141

高村瑞穂
P25-P45、P47、P49-56、P58-59、P62-73、P77、
P80-83、P86右、P87上2点、P90-93、P97、P100-103、
P112-117、P125（物）、P126-127、P132-133（物）、P134-139

Styling
笠原百合

Hair＆Make
YOUCA

DTP
小川卓也（木蔭屋）

Proofreading
麦秋アートセンター

Editor
間有希・高見沢里子・山岸南美

ゆうこすビューティー
最近自分の見た目が
好きすぎるかも。になれる本

2021年 9 月29日 初版発行
2021年12月 5 日 再版発行

著　者　ゆうこす

発行者　青柳昌行
発　行　株式会社KADOKAWA
　　　　〒102-8177
　　　　東京都千代田区富士見2-13-3
電　話　0570-002-301(ナビダイヤル)
印刷所　凸版印刷株式会社